Ricardo Bellino

IPO PESSOAL

Ipo Pessoal

1ª edição: Setembro 2022

Autor:
Ricardo Bellino

Edição de texto:
Paulo Moreti

Preparação de texto:
Lays Sabonaro

Revisão:
Daniela Georgeto

Projeto gráfico e diagramação:
Luisa Tavares

Capa:
Jéssica Tavares

DADOS INTERNACIONAIS DE CATALOGAÇÃO NA PUBLICAÇÃO (CIP)

Bellino, Ricardo
IPO pessoal : como você pode se tornar uma marca milionária / Ricardo Bellino. — Porto Alegre : Citadel, 2022.
240 p.

ISBN 978-65-5047-181-1

1. Desenvolvimento profissional 2. Negócios 3. Sucesso nos negócios

22-4556 CDD - 158.1

Angélica Ilacqua - Bibliotecária - CRB-8/7057

Produção editorial e distribuição:

CITADEL Grupo Editorial

contato@citadel.com.br
www.citadel.com.br

Ricardo Bellino

IPO PESSOAL

Como você pode se tornar uma marca milionária

CITADEL
Grupo Editorial
2022

Sumário

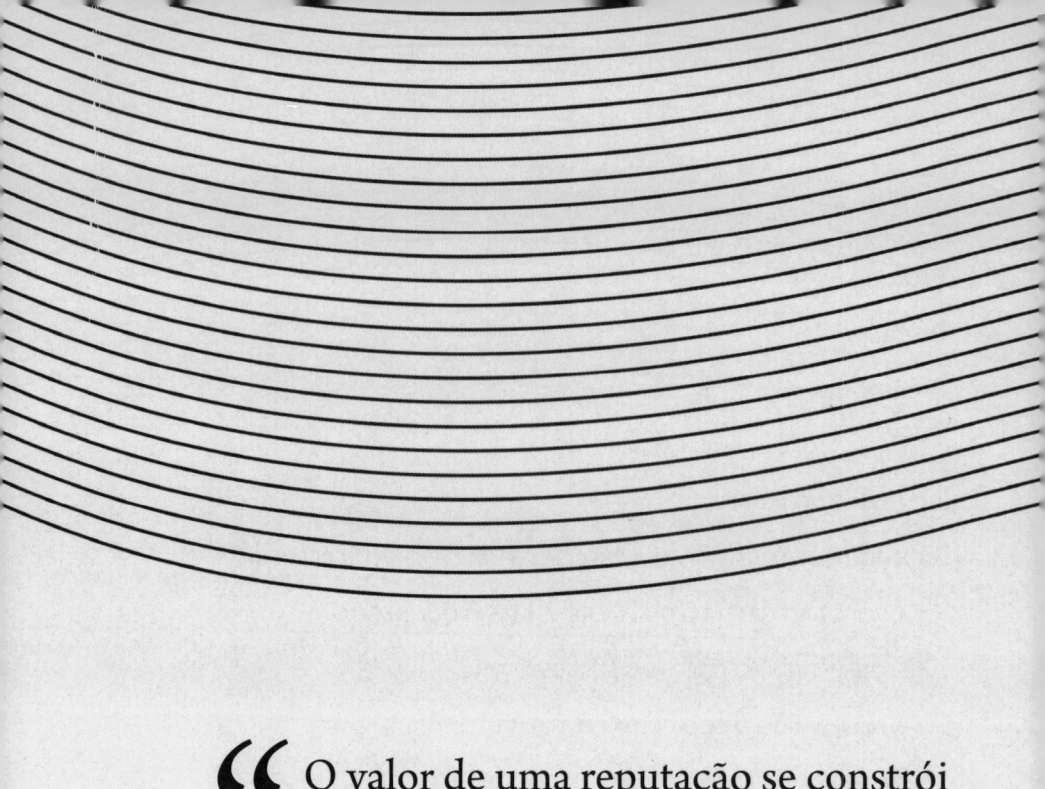

“O valor de uma reputação se constrói quando aprendemos a colocar propósito e causas que podem ajudar outras pessoas a mudar a realidade de suas vidas, à frente do sucesso, fama e dinheiro.

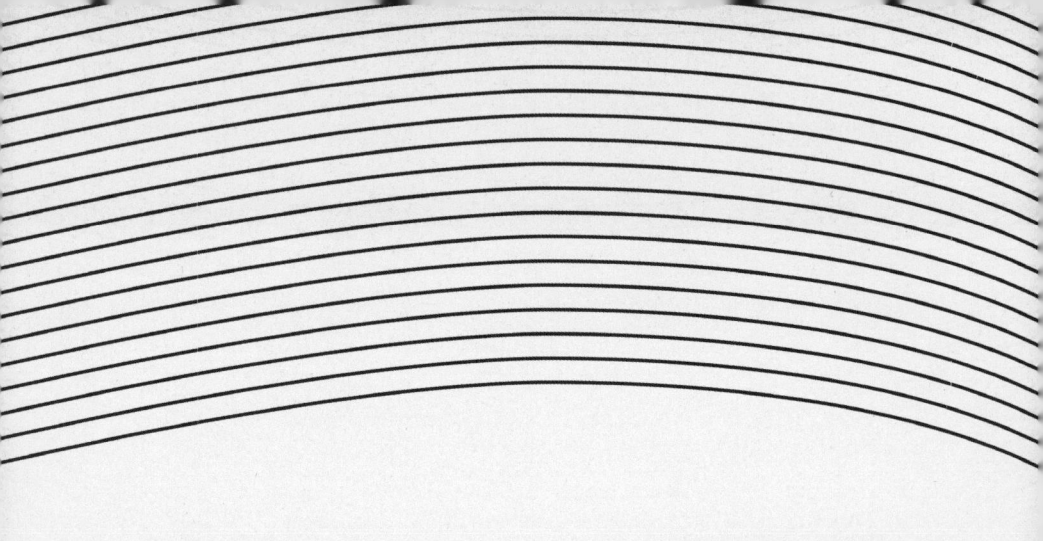

Convido a leitura atenta do prólogo deste meu novo livro, escrito pelo amigo Edu Lyra, líder do maior programa de erradicação da pobreza nas favelas do Brasil, o Gerando Falcões. ”

Ricardo Bellino

Prólogo

Como alguém constrói uma reputação avaliada em quase R$ 80 milhões?

Antes de mais nada, é preciso se destacar em uma área de atuação, o que certamente é o caso do autor deste livro. Ricardo é um empreendedor que entende, como poucos, o valor da inovação. Ele compreende que os problemas de hoje não serão os mesmos em cinco, dez ou cinquenta anos. Logo, é fundamental que cada empresa invista permanentemente na busca por novas estratégias, sem medo de falhar e testar outras soluções. O mercado do século XXI, mais digital do que nunca, exige de seus *players* um tipo de coragem caro aos empreendedores.

Essa visão apurada de negócios transformou o Ricardo no segundo brasileiro da história a fazer uma oferta pública de sua marca pessoal na Human IPO, uma espécie de "Bolsa de Valores" para pessoas e talentos. As 30 mil ações da marca Bellino, equivalentes a 500 horas de mentoria com o executivo, estão avaliadas em cerca de US$ 2,5 milhões. São números que atestam a qualidade de sua trajetória profissional.

Mas nada disso é suficiente para construir uma reputação milionária. Gosto sempre de relembrar a diferença que existe entre um rico e um membro da elite. O primeiro apenas acumula riquezas; já o segundo compreende que não há como desfrutar de qualquer riqueza em uma sociedade injusta, desigual, violenta, em ponto de ebulição. Logo, ele mobiliza seus recursos para impactar positivamente o seu entorno. Suas ações se tornam exemplos, sua voz é ouvida. A elite tem o que o dinheiro não pode comprar: respeito e admiração. Ricardo Bellino é um membro da elite, no melhor sentido do termo. Não por acaso, o leitor irá descobrir que uma de suas inspirações é o escocês radicado nos Estados Unidos Andrew Carnegie (1835-1919), magnata do aço, que foi também o maior filantropo de sua época. O olhar solidário une, em diferentes tempos, homens cuja riqueza ultrapassa os cifrões.

É esse olhar que o Ricardo dedica à favela. Ele enxerga o potencial de crescimento das periferias brasileiras, com toda sua criatividade e ímpeto empreendedor. Acima de tudo, compreende que CEOs e líderes comunitários podem caminhar juntos para promover o desenvolvimento daqueles territórios. Daí o compromisso de reverter até US$ 250 mil, gerados pelo IPO da marca Bellino nos EUA, para projetos sociais nas favelas brasileiras.

Volto à questão que abre este texto. A marca pessoal do Ricardo foi avaliada no Brasil em R$ 78 milhões. Como é possível construir uma reputação tão valiosa? Tenho certeza de que o(a) leitor(a) encontrará uma resposta ao longo deste livro, mas compartilho aqui a minha interpretação: com o fortalecimento da agenda ESG e o surgimento de consumidores e investidores cada vez mais conscientes, o mercado precisa urgentemente de lideranças inovadoras que enxerguem para além dos números, que sejam capazes de operar na bolsa dos valores humanos. O Ricardo é um desses executivos cobiçados, que aliam uma vasta experiência no mercado à sensibilidade social.

Para nossa sorte, ele teve a generosidade de dividir parte de seus conhecimentos neste livro – afinal, em suas próprias palavras, "felicidade verdadeira só existe quando compartilhada e quando pode servir para transformar a vida de outras pessoas". Tenho certeza de que as próximas páginas irão transformar muitas de suas concepções. Confio também que você fechará este livro sentindo-se muito mais preparado para cuidar do maior ativo social e financeiro que um empreendedor pode ter: a sua própria reputação.

Boa leitura!

Edu Lyra

CEO do Gerando Falcões

Prefácio

O Poder do "Self-Equity"

Algumas pessoas são "imparáveis". Acredito que esta seja a mais importante característica para quem é inconformado e deseja fazer mais, tirar do papel ideias e deixar sua marca no mundo. E me arrisco a dizer ainda que quem detém tal vocação, a encontra e a entende ainda muito cedo. Sabe aquela criança inquieta, criativa, esperta e que chama a atenção por ver oportunidade em tudo, até mesmo em brincadeiras com outras crianças? Certamente se tornará um adulto "imparável", com sede de novos projetos, novas conquistas, novos estágios dentro da evolução da sua própria jornada.

Este livro que está em suas mãos é resultado de uma dessas mentes inquietas e que soube canalizar toda a sua energia e conhecimento para produzir, e produzir muito! Perdi as contas de quantas invenções/projetos vi com o Ricardo Bellino à frente. Sim, este autor representa, e muito bem, a turma dos "imparáveis", sempre à procura de novas metas, novos objetivos, novas oportunidades.

E detalhe: tudo para ontem! Afinal, também faz parte desse DNA a pressa no seu sentido positivo, que seria a partir do entendimento de que não há tempo a perder quando se trata de empreender e liderar movimentos necessários que contribuem com a evolução do próprio mercado.

Nas próximas páginas, você vai encontrar um pouco dessa trajetória rica em experiências e repleta de aprendizados. É claro que Bellino, assim como quase todos os empreendedores, já errou tentando acertar. E, da sua forma inconfundível, nos transporta para o seu universo de descobertas nestas páginas. Mais do que isso, ele mostra como é possível, nos dias atuais, criar uma marca pessoal sólida e perene.

Como? O primeiro ponto é aceitar que ninguém consegue avalizar ninguém. Na prática, isso quer dizer que apenas o seu resultado constante e contínuo é capaz de mudar o que as pessoas pensam sobre você, como elas te enxergam e reconhecem.

Logo, se o seu objetivo é entender e aplicar estratégias e práticas para fomentar a marca VOCÊ, escolheu o livro certo. Afinal, desenvolver uma marca pessoal avaliada em R$ 78 milhões é, definitivamente, uma conquista relevante e que merece a atenção dos aspirantes a desenvolver o mesmo.

Através de propostas para reflexão e apresentação de dados e pesquisas, Bellino mostra como é possível desenvolver e construir uma marca forte que tem como base um empreendedor de reputação forte.

Confiança, integridade, liderança e discernimento são alguns dos pilares necessários nesse processo de construção. E se você, leitor(a), compreende que valor tem a ver com o que se entrega e o que se resolve, e que o preço, ao final, é consequência de uma entrega bem-feita, sabe também que *valuation* ou avaliações de mercado se dão, basicamente, em cima desses pilares citados.

E, antes de tudo, para se criar uma marca pessoal forte e valiosa, é preciso ser um ser humano admirável e respeitado. Por tudo isso, acredito que nas próximas páginas você irá entender por que a MUST University realizou um estudo de caso sobre a trajetória de Ricardo Bellino.

Aproveite a leitura, absorva o máximo de *insights* possíveis e não demore (assim como o autor) para se movimentar, inovar, empreender. Intensidade é sinônimo de vontade. Mudar o que só depende de nós é uma questão de escolha e dos mentores certos.

Boa leitura e novas ideias!

João Kepler

Cofundador e CEO da Bossanova Investimentos

Preâmbulo

"Time is money", Benjamin Franklin

Quatorze anos após viver dando voltas ao redor do mundo, dos quais onze se passaram nos Estados Unidos e os últimos três em Portugal, retornei ao Brasil no final de 2021 para empreender os meus maiores e mais importantes projetos das últimas mais de três décadas e meia, em que venho desafiando o impossível.

Selecionei três artigos publicados recentemente na revista EXAME, que reproduzo a seguir, como introdução a este livro. Eles descrevem, fiel e resumidamente, o que poderia destacar como o melhor momento da minha vida como empreendedor serial.

O *valuation* da minha marca pessoal, precificado em R$ 78 milhões e amparado por laudo técnico, tendo sido deferido pela Junta Comercial de São Paulo no aumento do capital social da minha empresa de empreendimentos e participações, a Bellino's Unlimited, serviu, mais que tudo, para confirmar a minha tese de investimento no meu maior patrimônio, a minha reputação. Essa foi, sem dúvida, a lição mais importante da minha escola da vida, que herdei do meu avô Ribeiro, um imigrante português que chegou ao Brasil ainda adolescente e, como mascate, fez a sua vida e a da nossa família com muita dignidade e espírito empreendedor.

Aprendi na minha escola da vida que a felicidade precede o sucesso e que não existem fórmulas mágicas para atingir o idealizado sucesso fácil e rápido.

Aprendi também que a felicidade verdadeira só existe quando compartilhada e, também, quando pode servir para transformar a vida de outras pessoas.

O lançamento do meu *IPO Pessoal* tem como propósito inspirar outras pessoas a investir na sua própria reputação, para construir uma marca pessoal sólida e que possa pagar dividendos ao longo de toda uma vida. Atrelado a cada exemplar deste livro, irei emitir uma ação simbólica, correspondente a um NFT do meu tempo, no limite de 500 horas, o equivalente a 30.000 minutos. Os valores totais da emissão dos meus NFTs foram precificados em R$ 7,8 milhões e correspondem a 10% do valor atribuído à minha marca pessoal. Como diria Benjamin Franklin: "Time is Money".

01

QUANTO VALE SUA MARCA PESSOAL?

Você sabe quanto vale a sua marca pessoal? Instigado por esta pergunta, decidi contratar um escritório especializado na avaliação de ativos intangíveis, que concluiu que a minha propriedade intelectual vale impressionantes R$ 78 milhões!

De posse do laudo que chancelou o *valuation* da marca BELLINO, eu fiz mais: decidi integralizar o montante ao balanço patrimonial da minha empresa, a Bellino's Unlimited Empreendimentos e Participações Ltda. Resolvidos os trâmites burocráticos, fui em busca de uma solução para monetizar o capital que consegui traduzir em milhões de reais algo que parecia impossível, palavra que não consta em meu dicionário. E eu encontrei dois caminhos.

O primeiro, aqui mesmo no Brasil, foi criar minha própria Wallet na recém-lançada Chiefs.Group, a primeira plataforma de "Open Talent Economy" da América Latina, baseada em *blockchain*, que permite transformar horas de executivos C-Level* e empreendedores em tokens. Eu me tornei o primeiro "Chief

* C-Level é a designação dos executivos seniores mais altos dentro de uma companhia. A letra "C" significa "Chief", Chefe. (N. do Prep.)

Entrepreneur" da plataforma, e fiz a primeira emissão de R$ 1 milhão em NFTs, de um total de R$ 7,8 milhões, que puderam ser adquiridos por interessados em um programa de mentoria comigo.

A segunda alternativa foi fazer o IPO da minha marca pessoal na americana Human IPO, uma "bolsa de valores de pessoas" que também possibilita transacionar o tempo de profissionais de grande prestígio. Até então, o único brasileiro a fazer IPO da sua marca no *marketplace* foi o Rei Pelé, que negociou 10 cotas de 30 minutos de conversa com seus fãs por US$ 10 mil cada.

Bem, mas o que é um IPO? IPO é uma sigla em inglês que se traduz por *Initial Public Offering*. Isso nada mais é do que Oferta Pública Inicial das ações de uma empresa na Bolsa.

Para quem não está familiarizado com o vocabulário financeiro, o IPO pode ser entendido como um processo pelo qual uma empresa abre o seu capital, oferecendo as suas ações para compra pública ao mercado, pela primeira vez. Ela faz uma oferta inicial de ações em uma Bolsa de Valores, que é o local onde se permite que os investidores interessados comprem partes da empresa com a aquisição de ações. Quando isso acontece, a empresa deixa de pertencer a um único dono ou sócios e passa a ter os chamados acionistas. Esses acionistas são anônimos na medida em que não aparecem nominalmente, embora as ações que adquiriram os representem na propriedade da empresa.

De acordo com o volume de ações que um investidor ou grupo deles adquire, os seus titulares passam a ter maior poder na empresa, o que pode se traduzir em poder de tomar certas decisões; afinal, eles são donos de uma parte grande do bolo, porque compraram ações da empresa. Mas, sabendo disso, os donos originais, geralmente, não vendem as fatias maiores de uma empresa, para que continuem detentores do maior poder de decisão.

Com a venda de ações há a entrada de capital, o que permite à empresa maior poder de negociação e ampliação, mas os donos do empreendimento detêm em suas mãos o comando da corporação sem a interferência direta dos acionistas. Eles são, por isso, chamados sócios majoritários. Um exemplo clássico bem conhecido dessa situação é o Facebook. Mark Zuckerberg, quando fez a sua primeira oferta pública das ações da sua empresa, manteve consigo 28% das ações do Facebook, o que lhe garantiu o posto de sócio majoritário da rede social.*

Eu negociei na Human IPO um total de 30 mil ações avaliadas em US$ 2,5 milhões, ao preço de US$ 83,33 por ação, que foram trocadas por 500 horas de mentoria a uma base de US$ 5 mil por hora. Desse total, o valor correspondente a 3 mil ações, ou aproximadamente US$ 250 mil, foi doado para a ONG Gerando Falcões, do líder comunitário e empreendedor social Edu Lyra.

No dia 28 de abril, no Palácio da Bolsa, fundado em 1891, no Porto, divulguei a emissão dos meus NFTs e toquei o famoso sino

---

* Disponível em https://canaltech.com.br/bolsa-de-valores/o-que-e-e-como-funciona-um-ipo/#:~:text=O%20termo%2C%20embora%20pare%C3%A7a%20complexo,investidores%20adquirirem%20partes%20da%20companhia.>. Acesso em: 26 jul. 2022.

simbólico do IPO da minha marca pessoal. Dois dias depois, em 30 de abril, fiz a palestra de abertura do evento "Investimento em Ação".

O capital humano é o principal valor de uma empresa. São as pessoas que fazem um negócio ser um enorme sucesso ou um retumbante fracasso. Em minha trajetória, sempre tive a clareza de que a reputação da minha marca pessoal era o que eu tinha de mais valioso para fortalecer minha *network* e transformar relacionamentos em negócios.

Ao encontrar uma forma de tornar tangível o meu ativo pessoal e integralizá-lo ao capital social da minha empresa, parti em busca de tecnologias que possibilitassem transacionar minhas horas e, coincidentemente, tomei contato com a proposta da Chiefs.Group, que caiu como uma luva ao permitir *tokenizar* meu *smart money*. Ao mesmo tempo, recebi o convite para seguir os passos do Pelé e fazer meu IPO na Human IPO.

A Cristiane Mendes, CEO da Chiefs.Group, celebrou o que fizemos na ocasião, ao declarar:

> *Ter o talento do Ricardo Bellino na plataforma da Chiefs.Group é uma prova cabal de que o futuro do trabalho está na contratação de capital intelectual e não mais no modelo de 8 horas por dia, 5 dias por semana. O Bellino é certamente um excelente exemplo de como uma marca pessoal pode ser monetizada a partir da negociação de talento de acordo com a demanda de cada empresa, de cada projeto.*

Certamente, contratar a mentoria e os serviços de um talento como este em um esquema full time *seria impossível para muitas empresas, mas contar com algumas horas da sua dedicação se tornou viável dentro de uma plataforma como a nossa.*

Eu tenho bons motivos para monetizar minha marca pessoal. Atualmente, lidero diversos projetos que só se tornaram possíveis por conta da força do meu nome. Todas as frentes estão sob o guarda-chuva da *holding* Bellino's Unlimited, como a Comune di Bellino, a maior plataforma de mentorias e *masterminds* de alto impacto que oferece programas precificados em mais de R$ 100 mil.

Um deles, batizado de "Zenpreendedorismo", é realizado no Mosteiro Zen no Morro da Vargem, no Espírito Santo. Outro, chamado de "Escola da Vida", é um programa de aceleração de pessoas que consiste em uma imersão multidisciplinar no norte da Itália, em uma vila medieval com apenas 94 habitantes, curiosamente chamada Comune di Bellino.

Recentemente, pude anunciar a criação da *Dealmaker Academy*, uma parceria com a Atom S/A e a Must University que tem como missão promover uma transformação disruptiva da cultura empreendedora e executiva na próxima década, criando uma nova geração de "fechadores de negócios" sustentada pelos pilares do pensamento fora da caixa e da reprogramação das habilidades socioemocionais.

Outro negócio estruturado por mim é o Mentor S/A, um grupo formado por treze empresários liderados por mim, no qual planejamos investir alguns milhões na forma de mentorias ("Mentor for Equity"), inicialmente em 20 *startups* em estágio inicial com alto potencial de escala. A gestão desse *pool* de investimentos inédito está sob a responsabilidade da Bossa Nova Investimentos, que conta com nomes de peso, como João Kepler, Caito Maia, Edu Lyra, Nathalia Arcuri, Carol Paiffer, Chaim Zaher, Rachel Maia, Antônio Carbonari Neto, entre outros. Nomes de peso, aliás, é o que não falta na minha trajetória de vida e empreendedorismo. Bem, basta falar que fui sócio de Donald Trump, na Trump Realty Brazil, e de John Casablancas, com quem fundei a Elite Models Brasil.

SOBRE A CHIEFS.GROUP

Chiefs.Group é a primeira plataforma em *blockchain* de gestão de talento C-Level da América Latina. Nela, profissionais C-Level com anos de experiência e *expertise* em diferentes segmentos podem compartilhar conhecimento, *know-how* e capacidade analítica para transformar a realidade de empresas, *startups* e projetos sob demanda. Isso funciona como uma carteira digitalizada e descentralizada da carreira de C-Levels e, ao mesmo tempo, uma gestora de portfólio para empresas interessadas em comprovar a participação de profissionais notáveis em seus negócios.

02

O IPO DO REI PELÉ

O IPO do Rei Pelé, promovido pela Human IPO, a mesma plataforma que está lançando o meu IPO Pessoal, teve grande repercussão na mídia mundial, e foi o maior incentivo para que eu escrevesse este livro. Não pelos valores envolvidos naquela oferta pública, mas pelo significado de uma carreira marcada por altos e baixos, como a da maioria dos empreendedores de sucesso, e que resultou na construção de uma marca global de valor incalculável e intangível.

Peça publicitária para a TV faz uma analogia entre a evolução da carreira de Pelé e o desenvolvimento de uma empresa

Investir em ações é ficar sócio de uma empresa e ser dono de um pedacinho dela. Agora, vamos imaginar que o Pelé é uma empresa e que você investiu nele em 1958. Já começou em alta. Veja aí as suas ações subindo! Como toda empresa, às vezes há problemas aqui e ali, mas logo ela se recupera. Ele liderou a conquista do Tri e ainda marcou o milésimo gol. As suas ações disparam!

Em 1974, ele se despediu do Brasil. Poderia ser um problema, mas a marca Pelé se transformou em um ativo global e ele se tornou o Atleta do Século. Se você fosse sócio desta empresa, teria feito investimentos. Quem investe em ações de uma boa empresa pode ganhar junto com ela. Quer ser sócio? PMF Bovespa, a bolsa é *pra* você.

Em setembro de 2011, a BM&F Bovespa lançou uma campanha convidando mais pessoas, além dos tradicionais investidores, a investirem na Bolsa de Valores. Estrelada por Pelé, a principal peça da campanha foi um filme que mostrava a importância de investimentos a longo prazo, fazendo uma analogia entre a evolução da carreira do ex-jogador e o desenvolvimento de uma empresa.

A campanha fez parte de um pacote de medidas criado pela Bolsa, buscando saltar dos 600 mil investidores naquele ano para cerca de 5 milhões, em 2014. Além das peças publicitárias, também foi lançado um programa de milhagem, que visava premiar os investidores pessoas físicas, com foco em investimentos em ações no longo prazo. Apenas naquele ano, a Bolsa investiu R$ 25 milhões em publicidade. As peças foram criações da DPZ Propaganda.

A campanha partiu do princípio de que uma ação é parte de uma empresa e quem a adquire se torna sócio dela. Nesse ponto, entra em cena a carreira esportiva de Pelé, com situações de alta e baixa, para ilustrar o desempenho de uma empresa ao longo do tempo. IPO do Pelé: O que você precisa saber para entrar nesse negócio?

O Rei do Futebol passou a integrar a plataforma Human IPO para vender o seu tempo para os fãs.

» O valor inicial da cota para bater um papo com o jogador é de US$ 10 mil, mas é preciso correr: serão negociadas apenas dez cotas;
» Os compradores terão direito a 30 minutos de conversa com Pelé;
» O encontro foi agendado para o dia 11 de agosto, por videoconferência.

A Human IPO, plataforma que funciona como uma Bolsa de Valores transacionando o tempo de profissionais de destaque, está negociando um ativo de valor imensurável para o futebol brasileiro: o craque Pelé, tricampeão do mundo e um dos maiores atacantes da história.

O Rei do Futebol, Edson Arantes do Nascimento, passou a integrar a plataforma Human IPO para vender o seu tempo para fãs dispostos a pagar por isso, ou a investir nessa ideia. O objetivo da oferta de venda foi angariar recursos para a *The Pelé Foundation*, sua instituição sem fins lucrativos.

"Os acionistas podem resgatar as ações quando quiserem, mas esta é a data em que as pessoas podem começar a entrar no site e comprar uma ação", explicou a Human IPO em um comunicado.

"Meus amigos, estou feliz em anunciar 10 intervalos do meu tempo no humanoipo.app. Bata um papo comigo. A arrecadação será destinada a apoiar a Fundação Pelé na capacitação de crianças e no acesso à educação. Mantenha a bola rolando", afirmou Pelé em suas redes sociais.

03

POR QUE TODA EMPRESA PRECISA DE UM *CHIEF ENTREPRENEUR*?

Inovação transformadora requer um empreendedor no comando com a missão de explorar novos horizontes e modelos de negócios potencialmente disruptivos

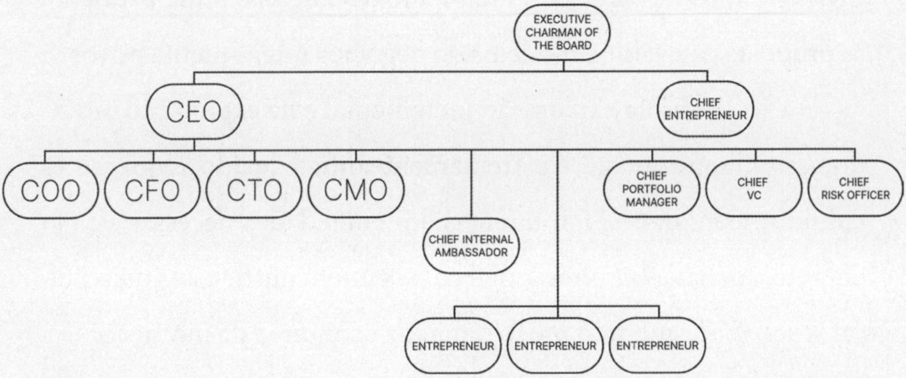

Se não quiser correr o risco de se tornar obsoleta no século XXI, toda grande empresa deverá enfrentar a realidade de inovação e disrupção contínuas. Mas vale o alerta: é improvável que as estruturas organizacionais que caracterizam as corporações estabelecidas hoje construam esse novo caminho para o crescimento sustentado pela transformação. Isso, claro, não invalida o sucesso que conquistaram até aqui ao desenharem um plano de negócios bem-sucedido e melhorá-lo ao longo do tempo. Elas estão onde estão, sem dúvida, porque escalaram com sucesso e aprimoraram continuamente um modelo comprovado.

É um grande risco ignorar que o jogo agora é diferente. Para alcançar um crescimento substancial e contínuo, tornou-se indispensável ir além da melhoria do modelo de negócios existente ou simplesmente lançar novos produtos. Por quê? Apenas pelo fato de que essas ações não irão mais gerar um crescimento sustentável.

O desenvolvimento virá de organizações que se destacarem ao melhorar seu modelo de negócios estabelecido e, ao mesmo tempo, inventarem os motores de crescimento de amanhã, principalmente as propostas de valor e modelos de negócios inteiramente novos.

A excelência na exploração incremental e na exploração inovadora, simultaneamente, é extremamente difícil devido às diferentes culturas, habilidades, ferramentas e mentalidades necessárias. No entanto, apenas as empresas que conseguirem nutrir essas duas culturas sob o mesmo teto prosperarão na economia da inovação.

É uma mudança radical, mas importante. Um estudo da KPMG revelou que 74% dos CEOs estão preocupados com novos entrantes interrompendo seus modelos de negócios. No mesmo estudo, 53% assumiram que não estavam revolucionando suficientemente seus modelos de negócios.

Outro levantamento da McKinsey apontou que 80% dos CEOs acreditam que seus modelos de negócios estão em risco e apenas 6% disseram estar satisfeitos com o desempenho de inovação de sua empresa.

A conclusão é evidente: as estruturas organizacionais em muitas dessas empresas simplesmente não estão configuradas para criar um crescimento revolucionário.

Então, o que precisamos fazer para preparar as organizações para a inovação?

Em primeiro lugar, as empresas precisam ir além da tradicional P&D, tecnologia e inovação de produtos. Elas devem passar para o estágio de se concentrar em novas propostas de valor e modelos de negócios. Isso também significa criar uma estrutura organizacional inteiramente nova, na qual a exploração incremental e a exploração inovadora possam coexistir e o crescimento possa prosperar.

E é para enfrentar esse desafio que trago a recomendação para que toda empresa crie uma nova posição em seus quadros, que chamo de *Chief Entrepeneur* (CE), ou Empreendedor Chefe, o guardião da cultura de inovação da empresa, o líder da jornada de exploração.

Qual será a função do *Chief Entrepeneur*? Ele ou Ela terá o mesmo poder do CEO, para se concentrar exclusivamente em inventar o futuro da empresa, gerenciando uma equipe de empreendedores responsáveis por um portfólio de experimentos de inovação.

Mas por que você precisa de um empresário-chefe com tamanho poder?

A resposta é simples: é cada vez mais difícil crescer substancialmente apenas por meio da inovação de produtos e de tecnologia. Para ganhar *market share*, as organizações precisam fazer a distinção entre a inovação incremental e de eficiência, que sustenta o negócio atual, e a inovação transformadora, que explora novos horizontes e modelos de negócios potencialmente disruptivos.

Dou um bom exemplo. Um novo modelo de produto ou recurso pode adicionar alguma receita de curto prazo a um setor estagnado. Corte de custos e reengenharia de processos de negócios podem estabilizar o navio ou tornar a empresa eficiente, mas o foco nesses tipos de inovações, por si só, não será suficiente para garantir a sua sobrevivência.

O crescimento transformador vem de grandes propostas de valor e modelos de negócios. As novas tecnologias podem, ainda, desempenhar um papel preponderante, mas precisam ser embaladas em uma proposta de grande valor e associadas a um poderoso modelo de negócios.

Os melhores CEOs são excelentes em crescer e administrar uma empresa dentro de um modelo de negócios conhecido. O que eles não fazem bem o suficiente é reinventar e inovar. Não é porque eles são incompetentes; eles apenas falham na tarefa por várias razões. Os CEOs geralmente se tornam bem-sucedidos por meio do modelo de negócios estabelecido e são pressionados a fornecer resultados de curto prazo.

Nem todos têm a capacidade de ser o principal motor da inovação e também não têm a compreensão do que é necessário para o crescimento da inovação; e isso faz com que os negócios estabelecidos vejam qualquer coisa diferente como anticorpos prejudiciais aos modelos de negócios existentes. Há também pouquíssimos CEOs que podem gerenciar a tarefa de duas funções completamente diferentes que exigem habilidades e estruturas organizacionais totalmente distintas.

A função central do novo *Chief Entrepreneur* é inventar o futuro da empresa, enquanto o CEO administra os negócios existentes e financia a busca do futuro pelo CE. Esta não é uma função de *Chief Technology Officer* (CTO), nem do chefe de P&D, ou meramente uma função de *Chief Innovation Officer* (CIO) que se reporta ao CEO.

O Empreendedor Chefe é um executivo tão poderoso quanto o CEO, com liderança e proteção claras sobre a inovação transformadora dentro da empresa. Eles se reportam ao presidente do conselho como iguais. No entanto, um está focado na exploração incremental, enquanto o outro está focado na exploração inovadora.

Mas o que o CE realmente *faz*?

O Empreendedor Chefe será responsável por gerenciar um portfólio de empreendedores que experimentam novos modelos de negócios e propostas de valor. E deve ser alguém com uma paixão por assumir riscos calculados para assumir as seguintes atribuições:

- » Construir o futuro para a empresa. O CE é responsável pelo desenvolvimento de novos modelos de negócios e propostas de valor para assegurar a longevidade da empresa.
- » Orientar e apoiar uma equipe específica de empreendedores. A equipe do CE busca e valida modelos de negócios e propostas de valor em torno de oportunidades de crescimento. Isso significa gerenciar empreendedores que podem navegar pelas tendências e comportamentos do mercado.
- » Projetar/construir um espaço de invenção. O CE é responsável por criar o habitat para sua equipe experimentar, falhar e aprender. Esta é uma cultura adicional em que as ideias podem ser exaustivamente testadas. O CE deve defender a cultura, os processos, os incentivos e as métricas que nascem nesse espaço.
- » Introduzir a contabilidade da inovação. O CE deve desenvolver um novo processo que meça se o progresso está sendo feito na construção de novos negócios. Como esses experimentos estão ajudando a equipe a aprender, reduzir incertezas e riscos e seguir em frente?
- » Estabelecer e nutrir uma parceria com o CEO. O CE trabalha com o CEO para garantir que recursos e ativos estejam disponíveis para validar ou invalidar ideias. Ele é responsável por construir uma parceria para discutir o progresso e compartilhar novas ideias. A comunicação é fundamental para essa parceria, porque o CEO é quem pode ajudar a financiar experimentos futuros. O

CE deve reconhecer a importância de entregar um modelo de negócios validado que demonstre oportunidades de escala.

» Relatar seu progresso diretamente ao presidente executivo do conselho de administração. O Empreendedor Chefe não trabalha para o CEO, nem ao lado do CTO, CIO e CFO. Essas funções são obrigatórias para manter os negócios existentes em boa forma. Se o CE reportasse ao CEO, então o CEO poderia vetar ideias em potencial para reservar recursos e proteger a empresa contra falhas. Fazendo assim, a empresa teria duas frentes poderosas em sua atuação. Uma com o CEO, mantendo o negócio a pleno vapor; outra com o CE, pensando o negócio à frente de seu tempo, mas sem comprometer aquilo que é necessário para a saúde do negócio hoje e amanhã.

Eu sei o que você deve estar pensando: o papel do CE é mesmo realista, factível? Que CEO estaria disposto a dividir o poder nos níveis mais altos de qualquer empresa?

Admito que é uma tarefa realmente difícil criar esse novo modelo, mas não é impossível. É importante que a diretoria e o CEO percebam a necessidade de ter alguém do mesmo nível para inventar o futuro. Do contrário, quando perceber a necessidade, poderá ser tarde demais e a organização será atropelada pelo bonde da inovação.

04

VOCÊ NÃO GANHA O QUE MERECE, MAS O QUE NEGOCIA*

* Adaptado de matéria publicada na *Revista Exame* em 29 de dezembro de 2021. Disponível em: https://exame.com/colunistas/carol-paiffer/voce-nao-ganha-o-que-merece-mas-o-que-negocia/. Acesso em: jul. 2022.

Com direito a fato relevante publicado na B3 e uma carta de boas-vindas enviada a mim pelo prefeito de Miami na época, Francis Suarez, que foi o responsável por transformar Miami no novo epicentro mundial de inovação e empreendedorismo, lancei oficialmente, na noite de 28 de dezembro de 2021, a pedra fundamental para a criação da nova profissão do futuro.

A expressão *DealMaker* não foi cunhada por mim. Ela data de 1886 e tem como definição ser o "negociador", aquele sujeito hábil em negociar acordos ou aquele que faz ou fecha negócios.

Nós fizemos uma parceria inédita com a ATOM, comandada pelos irmãos Paiffer, Joaquim e Carol (CEO da ATOM, empreendedora serial e investidora do *Shark Tank Brasil*), e a minha Bellino's Unltd.

Com esse lançamento, nós demos à luz a *DealMaker Academy*, que é um programa de formação e *networking*, com o objetivo de criar a maior escola de negociação e *deal making* do mundo!

Nós pensamos o programa para ter alcance global, sendo disponibilizado em português, inglês e espanhol, e que fosse certificado pela MUST University, dos Estados Unidos.

Na ocasião do lançamento, a Carol Paiffer resumiu assim o nosso novo negócio:

> Não teria pessoa melhor para ensinar sobre negociação senão o Bellino. Se todo brasileiro aprender a negociar, com certeza teremos pessoas sendo mais bem remuneradas e isso colabora não só para o crescimento da renda, mas para a diminuição da desigualdade.

O Joaquim Paiffer, o Kim, completou: "Estamos muito felizes pela parceria e temos certeza de que estamos dando um grande passo na revolução educacional do Brasil, rompendo paradigmas e preconceitos limitantes referentes à arte de negociar".

É dispensável comentar a minha enorme alegria e entusiasmo em poder comemorar o meu retorno ao Brasil, depois de 14 anos residindo no exterior, com a celebração dessa parceria inédita com os amigos Joaquim e Carol. Juntos nos propusemos a ensinar aos jovens empreendedores brasileiros que eles não ganham o que merecem, mas o que aprendem a negociar. Isso sem dúvida muda o *setup* dos brasileiros, que já têm fama de serem empreendedores, e de todos os que forem contemplados com o conteúdo e a nossa proposta de trabalho.

Além disso, para enriquecer a celebração do lançamento da nova profissão do futuro, a ATOM e nós, da Bellino's Unltd., assinamos uma parceria com a Revista EXAME, por meio da qual será criada a premiação em grande estilo dos *DEALMAKERS of the*

Year. A premiação irá reconhecer os maiores *DealMaker's* do ano nas seguintes categorias:

» *Equipe de Consultoria Financeira Corporativa do Ano*
» *Credor do ano com base em ativos*
» *Escritório de advocacia do ano*
» *Financiador do ano*
» *Equipe de recuperação do ano*
» *Promoção Internacional do Ano*
» *Banco do ano*
» *Equipe de Consultoria de PMEs do Ano*
» *Equipe de serviços de transação do ano*
» *Notável contribuição*
» *Responsabilidade social corporativa*
» *Promoção do ano para PME*
» *Promoção do ano*
» *Jovem Dealmaker do Ano*
» *DealMaker of the Year*

05

QUEBRANDO O COFRE DO SUCESSO FÁCIL*

* Adaptado de matéria publicada na *Revista Exame* em 23 de dezembro de 2021. Disponível em: https://exame.com/negocios/artigo-quebrando-o-cofre-do-sucesso-facil-por-ricardo-bellino/. Acesso em: jul. 2022.

Vivemos a era da simplificação generalizada e da banalização do sucesso, propagada por "chaveiros mágicos", que nos propõem chaves mestras para abrir as portas da riqueza fácil e rápida. Vale aqui uma introdução à Ciência da Complexidade, que descreve a natureza dos seres humanos como seres complexos e, por vezes, caóticos. Esta é uma teoria belissimamente defendida pelo Psicoterapeuta, PhD formado pela Universidade de Harvard, Luciano Vilaça, autor do livro *Dentro e Fora da Caixa.*

A não compreensão e a não aceitação dessa condição natural do ser humano não apenas impedirão a abertura da porta da esperança, como irão gerar uma enorme frustração, que poderá levar a sérios estágios de ansiedade e depressão. Esse assunto é tão sério que tramita silenciosamente no Senado um projeto de lei que pretende reprimir e condenar criminalmente as condutas irresponsáveis dos ditos "profetas da prosperidade", disfarçados de *coaching,* mentores e empreendedores de palco.

O segredo para quebrar os códigos de um cofre se baseia em aprender a "escutar" os cliques que irão encaixar e alinhar as engrenagens, que por fim abrirão as portas que guardam os segredos da verdadeira felicidade na vida, como também nos negócios.

A Ciência da Complexidade, também chamada de Teoria da Complexidade, na realidade, não é uma teoria, mas um complexo de teorias – Teoria dos Fractais, Teoria do Caos, Teoria das Catástrofes, Lógica Fuzzy e outras – procedentes das Ciências Exatas. Todas elas se dirigem, explícita e implicitamente, para uma visão cada vez mais aproximada da realidade, sem simplificação e sem reducionismo.

Para que você não corra o risco que estou apontando aqui, de simplificação e reducionismo, quero dar a você o meu olhar sobre uma Nova Visão de Mundo para a Estratégia e apresentar as Visões de Mundo – Mecanicista, Econômica e Complexa – que estão competindo no contexto da atual Mudança de Época. Com isso, espero mostrar a você quais as implicações de cada uma dessas Visões de Mundo (ou cosmovisões) e dar ênfase para a necessidade, cada vez mais incontornável, da Visão Complexa de Mundo para a Estratégia das organizações, a partir das lições da Teoria do Caos.

Para tangibilizar a metáfora da quebra das senhas que irão abrir os cofres da verdadeira felicidade, seja na vida ou nos negócios, organizei um grupo de 60 pessoas (30 pares) para viver uma experiência imersiva dentro do maior e mais seguro cofre do mundo, no Trinity Place, em Nova Iorque! Ele foi encomendado e financiado por Andrew Carnegie, o bilionário do aço norte-americano, considerado o homem mais rico do mundo de sua época, com uma fortuna estimada entre 300 e 372 bilhões de dólares, caso fosse atualizada pelos valores de hoje.

Foi Carnegie que contratou o então jovem jornalista Napoleon Hill, e o encarregou de produzir uma pesquisa entre os homens mais ricos e poderosos do seu tempo, incluindo Henry Ford. Aquela pesquisa deu origem ao sistema *Mastermind,* cujos princípios foram descritos em uma série de livros que, somados, superaram a marca de 100 milhões de cópias vendidas ao redor do mundo, e que continuam sendo úteis ainda hoje a milhares de profissionais e empreendedores!

06

DECIFRANDO O CÓDIGO DA FELICIDADE*

* Adaptado de matéria publicada na *Revista Exame* em 8 de janeiro de 2022. Disponível em: https://exame.com/colunistas/carol-paiffer/decifrando-o-codigo-da-felicidade--por-ricardo-bellino/. Acesso em: jul. 2022.

Quem nasceu primeiro, o ovo ou a galinha? O que vem primeiro, o sucesso ou a felicidade? No processo de criação do meu *mastermind,* que foi realizado em Nova Iorque, no Trinity Place, tive o privilégio de conhecer o tataraneto do próprio barão do aço americano.

Joe Whiteman decidiu não seguir os passos de seu tataravô rico e famoso e, portanto, não está em uma busca frenética por uma carreia empreendedora de sucesso, ou de ficar rico construindo um "haras de unicórnios" (criando empresas avaliadas em 1 bilhão de dólares ou mais).

O jovem escocês se dedica ao mundo das artes e espetáculos, e em 2016 estreou em um musical, o "Carnegie Musical", produzido por Ian Brow, durante o *Edinburgh Fringe Festival,* para celebrar os 100 anos da morte do tataravô bilionário. Uma adaptação desse musical foi apresentada na noite de abertura do meu *mastermind,* dentro do famoso cofre, que serviu como uma espécie de caixa forte particular, onde Andrew Carnegie guardou grande parte de sua fortuna, os mais de 370 bilhões de dólares que o colocaram no pódium como o homem mais rico do mundo na época.

Em meu *mastermind*, não falamos sobre os segredos do sucesso de Andrew Carnegie, amplamente divulgados em centenas de livros e milhares de artigos ao redor do mundo. Nós falamos sobre o verdadeiro sentido da vida, que é o de desenvolver uma inteligência positiva, que coloca a felicidade em primeiro lugar e o sucesso como consequência natural dessa atitude mental.

O conceito da "Inteligência Positiva" foi cunhado por Shirzad Chamine, renomado professor da Universidade de Stanford e autor dos mais vendidos da lista do *The New York Times*.

Caso queira conhecer, compartilho o link para o teste* criado por Shirzad, em que você poderá identificar os seus maiores sabotadores de inteligência e identificar o seu nível de QP (Quociente Positivo). Como diria o autor: "Sua mente é a sua melhor amiga. Mas também é sua pior inimiga".

Em uma conversa recente que tive com Joe Whiteman, via Zoom, decidimos escrever um livro juntos.

Sobre isso, o próprio Joe Whiteman disse:

> Estou muito feliz por ser coautor do livro "Decifrando o Código da Felicidade", com Ricardo Bellino. Espero que minha história possa fornecer uma janela para os diferentes caminhos da vida que as pessoas podem seguir e alertar para o grande perigo de modelar a vida e a paixão de outras pessoas, acreditando que esses exemplos podem ser replicados de forma simples, para atingir um sucesso fácil e rápido.

---

* Disponível em: https://www.companhiadasletras.com.br/testeinteligenciapositiva/.

Certamente este não é mais um livro de autoajuda barata, com fórmulas frívolas de enriquecimento rápido e fácil, nem mesmo a revelação de segredos do sucesso que podem ser desvendados por "chaves mágicas".

No livro nós reproduzimos uma conversa entre o magnata do aço e o jovem ator, como no belíssimo filme que me emocionou muito na infância, "Em algum lugar do passado". Aquilo supostamente ocorreu há mais de cem anos, em que o binômio sucesso e felicidade, ou felicidade e sucesso, foi discutido à exaustão. Esse diálogo está amplamente amparado por referências biográficas e estudos comprovados e publicados pelas academias da ciência da felicidade e inteligência positiva, que incluem Harvard e Stanford. A conclusão está no capítulo final do livro.

07

A MARCA PESSOAL

A ideia e o termo foram cunhados há mais de vinte anos por Tom Peters em um artigo na revista *Fast Company*, chamado "The Brand Called You" (1997). Mas nunca esteve tão atual. Nas palavras dele:

> Independente de idade, posição e negócios que porventura estamos inseridos, todos nós precisamos entender a importância do *Branding*. Nós somos os CEOs das nossas próprias empresas: EU Ltda. (...) Para estar no mercado atualmente, a nossa tarefa mais importante é ser *head* de *marketing* de uma marca chamada "Você".

O termo e o conceito evoluíram nos últimos vinte e poucos anos, mas a ideia básica continua a mesma.

POR QUE TER UMA MARCA PESSOAL?

Os tempos mudaram, estão mudando e sempre mudarão. O mundo está passando por transformações estruturais e profundas, e os processos nos quais estamos envolvidos têm sofrido uma aceleração sem precedentes neste momento. A Era do Conhecimento já é uma realidade e está alterando de forma significativa as relações de trabalho e as relações interpessoais.

Trabalhar uma Marca Pessoal não é querer se destacar e criar fama em cima de um neologismo barato; é trabalhar o seu capital pessoal para obter as melhores oportunidades, seja de trabalho, venda de serviços ou um novo emprego. A marca pessoal facilita a sua identificação pelo mercado e dá destaque e autoridade em relação à concorrência, pois ela também existe no nível pessoal. A marca pessoal também não é criar uma fantasia, mas mostrar quem você é, alinhando o seu eu ao modo como você diz, faz e se apresenta.

POR ONDE COMEÇAR?

Para criar e administrar a sua marca, um dos princípios fundamentais é se conhecer. É saber quais são os seus pontos fortes e fracos, saber como você é visto no mercado, como quer ser visto, entre outras coisas.

Gerenciar uma Marca Pessoal envolve vários passos:

- ter autoconhecimento;
- conhecer seus pontos fortes (conhecimentos, habilidades, talentos, valores etc.);
- entender suas limitações;
- saber quais aptidões é importante desenvolver;

» organizar dados;
» determinar o foco com autenticidade;
» definir uma estratégia;
» aplicar na prática.

Com isso, você poderá começar a trabalhar a sua marca e a preparar os esboços da estratégia a ser usada para se colocar de forma competitiva e autêntica nesse novo mercado.

E uma dica importante: "Tenha a certeza de que está fazendo o que te deixa feliz".

Então, qual será sua contribuição para esse novo mundo?

UMA MARCA CHAMADA VOCÊ

Grandes empresas entendem a importância das marcas. Hoje, na Era do Indivíduo, você deve ser a sua própria marca. Assim, aqui está o que é preciso para ser o CEO da verdadeira Você S/A, um novo mundo de marcas pessoais.

Aquele *cross-trainer* que você está usando – um olhar para o *swoosh** distinto na lateral diz a todos que te marcaram. Essa caneca de viagem de café que você está carregando – ah, você é uma mulher da *Starbucks*! Sua camiseta com o distintivo "C" *Champion* na manga, o jeans azul com os rebites proeminentes da *Levi's*, o relógio

* Swoosh é o logotipo da Nike. (N. do Prep.)

com o ícone *hey-this-certifiers-I-made-it* no rosto, sua caneta-tinteiro com a marca do fabricante símbolo trabalhado até o final...

Veja como você está marcado, marcado, marcado.

É hora de eu – e você – aprendermos uma lição com as grandes marcas, uma lição que é verdadeira para qualquer pessoa interessada no que é preciso fazer para se destacar e prosperar no novo mundo do trabalho!

08

PROPAGANDA

Independentemente da idade, da posição, do negócio em que estamos envolvidos, todos nós precisamos entender a importância do *branding*. Somos CEOs de nossas próprias empresas: Você Inc. Hoje, para estar no mercado, o trabalho mais importante é ser o chefe de *marketing* da marca pessoal que é Você.

Isso é tão simples – e tão difícil ao mesmo tempo. E isso é inescapável!

Empresas gigantes podem se revezar comprando umas às outras ou adquirindo todas as *startups* quentes que chamarem a atenção – as fusões em 1996 bateram recordes. *Hollywood* pode estar interessada apenas em sucessos de bilheteria e as editoras de livros podem querer lançar apenas *best-sellers* garantidos. Mas não se deixe enganar por todo o frenesi na extremidade enorme do espectro de tamanho.

A ação real está do outro lado: a principal chance a ser aproveitada é se tornar um agente livre em uma economia de agentes livres, procurando ter a melhor temporada que você possa imaginar em seu segmento, procurando fazer o seu melhor trabalho e obter um histórico notável. E faça isso procurando estabelecer o seu próprio micro equivalente do *Nike swoosh*, porque, se você fizer isso, não apenas alcançará todas as oportunidades ao alcance de um braço (ou *laptop*), não apenas fará uma contribuição notável para o sucesso de sua equipe – você também se colocará em uma ótima posição de barganha para o próximo mercado de *free agency* da temporada.

A boa notícia – e é em grande parte uma boa notícia – é que todos temos a chance de nos destacar. Todos temos a chance de aprender, melhorar e desenvolver nossas habilidades. Todo mundo tem a chance de ser uma marca digna de nota.

Quem entende este princípio fundamental? As grandes empresas entendem. Elas percorreram um longo caminho em pouco tempo: foi há pouco mais de quatro anos, em 2 de abril de 1993, para ser mais preciso, que a *Philip Morris* reduziu o preço dos cigarros *Marlboro* em 40 centavos o maço. Aquilo foi em uma sexta-feira. Na segunda-feira, o valor de mercado das empresas de bens embalados caiu US$ 25 bilhões. Todos concordaram: as marcas estavam condenadas.

Hoje, as marcas são tudo, e todos os tipos de produtos e serviços – de empresas de contabilidade a fabricantes de tênis e restaurantes – estão descobrindo como transcender os limites estreitos de suas categorias e se tornar uma marca cercada por um burburinho como a *Tommy Hilfiger*.

Quem mais entende isso? Cada patrocinador do site. Na verdade, a web defende o *branding* mais diretamente do que qualquer bem embalado ou produto de consumo jamais poderia. Aqui está o que a web diz: "qualquer um pode ter um site". E hoje, porque qualquer um pode... qualquer um faz!

Então, como você sabe quais sites vale a pena visitar, quais sites marcar, quais vale a pena visitar mais de uma vez? A resposta é: pela marca. Os sites aos quais você volta são aqueles nos quais você confia. São sites em que o nome da marca lhe diz que a visita valerá a pena – de novo e de novo. A marca é uma promessa do valor que você receberá.

O mesmo valerá para aquele outro aplicativo matador da net – o e-mail. Quando todo mundo tem e-mail e qualquer um pode enviar e-mail para você, como você decide quais mensagens vai ler e responder primeiro – e quais você vai enviar para a lixeira sem serem lidas? A resposta é: a marca pessoal. O nome do remetente do e-mail é uma marca tão importante – é uma marca! – quanto o nome do site que você visita. É uma promessa do valor que você receberá pelo tempo que passar lendo a mensagem recebida.

Ninguém entende melhor de *branding* do que empresas de serviços profissionais. Olhe para *McKinsey* ou *Arthur Andersen*, para um modelo das novas regras de *branding* na empresa e no nível pessoal. Quase todas as empresas de serviços profissionais trabalham com o mesmo modelo de negócios. Elas quase não têm ativos tangíveis – meu palpite é que provavelmente vão tão longe a ponto de alugar ou arrendar todos os itens tangíveis que puderem para evitar ter que possuir qualquer coisa.

Elas possuem muitos ativos leves – mais convencionalmente conhecidos como pessoas, de preferência pessoas inteligentes, motivadas e talentosas. E têm receitas enormes – e lucros surpreendentes! Também possuem uma cultura muito clara de trabalho e vida. Você é contratado, se reporta ao trabalho, se junta a uma equipe, e imediatamente começa a descobrir como agregar valor ao cliente.

Ao longo do caminho, você aprende coisas, desenvolve suas habilidades, as aprimora, passa de um projeto para outro. E, se for realmente inteligente, descobrirá como se distinguir de todas as outras pessoas muito inteligentes que andam por aí com ternos de US$ 1.500, *laptops* de alta potência e currículos bem polidos. Ao longo do caminho, se você for realmente inteligente, descobrirá o que é preciso para criar um papel distinto para si mesmo – você cria uma mensagem e uma estratégia para promover a marca chamada Você.

O QUE FAZ VOCÊ DIFERENTE?

Comece agora a fazer o seguinte exercício. A partir deste momento, comece a pensar em si mesmo de forma diferente! Você não é um "funcionário" da General Motors, você não é um "funcionário" da General Mills, você não é um "trabalhador" da General Electric ou um "recurso humano" da General Dynamics (ops, acabou!). Esqueça os generais! Você não "pertence" a nenhuma empresa por toda a sua vida e não possui uma função específica. Você não é definido pelo seu cargo e não está limitado pela descrição do seu trabalho.

A PARTIR DE HOJE VOCÊ É UMA MARCA

Você é uma marca tão grande quanto a Nike, a Coca-Cola, a Pepsi ou a Body Shop. Para começar a pensar como seu gerente de marca favorito, faça a si mesmo a mesma pergunta que os gerentes de marca da Nike, Coca-Cola, Pepsi ou Body Shop se fazem: "O que o meu produto ou serviço faz que o torna diferente?". Dê a si mesmo o desafio tradicional do concurso de quinze palavras ou menos. Aproveite o tempo para escrever a sua resposta e então reserve um tempo para lê-la. Leia-a várias vezes.

Se a sua resposta não iluminar os olhos de um cliente em potencial ou exigir um voto de confiança de um cliente anterior satisfeito, ou – pior de tudo – se não o fisgar, então você tem um grande problema. É hora de pensar seriamente e fazer um esforço ainda mais sério para se imaginar e se desenvolver como uma marca.

Comece identificando as qualidades ou características que o diferenciam de seus concorrentes – ou de seus colegas. O que você tem feito ultimamente – esta semana, por exemplo – para se destacar? O que seus colegas ou clientes diriam ser a sua maior e mais clara força? Qual o seu traço pessoal mais notável (como sendo digno de nota)?

Volte para a comparação entre a marca Você e a Marca Xm, que é a abordagem que as grandes empresas adotam para criar uma marca. O modelo padrão que eles usam é o recurso-benefício: cada recurso que eles oferecem em seu produto ou serviço gera um benefício identificável e distinguível para o seu cliente. Uma característica dominante das lojas de departamento Nordstrom é o serviço personalizado que oferecem a cada cliente. O benefício para o cliente é a sensação de estar recebendo atenção individualizada, junto com todas as opções de uma grande loja de departamentos.

Então, qual é o "modelo recurso-benefício" que a marca chamada *You* oferece? Você entrega o seu trabalho sempre no prazo? Seu cliente interno ou externo obtém um serviço confiável que atende às suas necessidades estratégicas? Você antecipa e resolve problemas antes que eles se tornem crises? Seu cliente economiza dinheiro e dores de cabeça apenas por ter você na equipe? Você sempre conclui seus projetos dentro do orçamento alocado? Não consigo nomear um único cliente de uma empresa de serviços profissionais que não enlouqueça com custos excessivos.

Seu próximo passo é deixar de lado todos os descritivos usuais dos quais funcionários e trabalhadores dependem para se localizar na estrutura da empresa.

Esqueça o seu cargo. Pergunte a si mesmo: "O que eu faço que agrega valor notável, mensurável e distinto?". Esqueça a descrição do seu trabalho. Pergunte a si mesmo: "O que eu faço enquanto profissional que mais me dá orgulho?". Acima de tudo, esqueça os degraus padrão de progressão que você subiu em sua carreira até agora. Queime essa maldita "escada" usada em material impresso de programas de carreira e pergunte a si mesmo: "O que eu realizei que posso me gabar descaradamente (sem arrogância, é claro)?". Se você quer se tornar uma marca forte e vendável, precisa se concentrar incansavelmente naquilo que faz e que agrega valor à sua imagem como profissional. Falo daquilo de que se orgulha e, o mais importante, daquilo pelo qual pode ter crédito descaradamente, de forma incontornável.

Quando tiver feito isso, sente-se e faça mais uma pergunta para definir a sua marca: "Pelo que quero ser famoso?". Isso mesmo – famoso por ...!

QUAL É O TOM PARA VOCÊ?

O clichê "não venda o bife, venda o chiado" é também um princípio que todas as marcas corporativas entendem implicitamente, como o programa de vendas pelo correio da Omaha Steaks.* Não importa o quão robusto seja seu conjunto de habilidades, não importa o quão saborosa você tenha feito essa proposta de recurso-benefício: você ainda precisa comercializar o *bejesus*** de sua marca – para clientes, colegas e sua rede virtual de associados.

*. Empresa com mais de cem anos de experiência em açougue, fornecendo peças e cortes espetaculares para todo o país.

**. Expressão usada para manifestar ênfase.

Para a maioria das campanhas de *branding*, o primeiro passo é a visibilidade. Se você é a General Motors, Ford ou Chrysler, isso geralmente significa um voo completo de anúncios de TV e impressos projetados para obter bilhões de "impressões" de sua marca diante do público consumidor. Se você é a marca *You*, terá a mesma necessidade de visibilidade, mas não terá orçamento para adquiri-la.

ENTÃO, COMO VOCÊ COMERCIALIZA A MARCA *VOCÊ*?

Literalmente, não há limite para as diferentes maneiras pelas quais você poderá aprimorar o seu perfil. Inscreva-se em um projeto extra dentro de sua organização, apenas para se apresentar a novos colegas e mostrar suas habilidades – ou trabalhar em projetos novos. Ou, se você conseguir arranjar tempo, assuma um projeto *freelance* que o coloque em contato com um grupo totalmente novo de pessoas. Se você conseguir que eles façam elogios, terá conseguido que eles ajudem a espalhar a notícia sobre o notável colaborador que você é!

Se essas ideias não forem atraentes, tente dar uma aula em uma faculdade comunitária, em um programa de educação de adultos ou em sua própria empresa. Você receberá crédito por ser um especialista, aumentará a sua posição como profissional e ampliará a probabilidade de as pessoas se voltarem para você com mais solicitações e oportunidades de se destacar da multidão.

Se você é melhor escritor do que professor, tente contribuir com uma coluna ou um artigo de opinião para o jornal local ou do seu segmento. E quando digo local, quero dizer local. Você não tem que escrever a página de opinião do *New York Times* para fazer a nota e se destacar. Jornais comunitários, boletins profissionais e até publicações internas da empresa têm espaços em branco que precisam ser preenchidos. Depois de começar, você terá um histórico – e *clippings* – que poderá usar para ter mais chances.

Caso você seja melhor orador do que professor ou escrito, tente participar de um painel de discussão em uma conferência ou inscreva-se para fazer uma apresentação em um *workshop*. A visibilidade tem um jeito engraçado de se multiplicar; a parte mais difícil é começar, acredite! Mas algumas boas apresentações de painel podem dar a você a chance de fazer um "pequeno" discurso solo – e a partir daí serão apenas alguns saltos até que consiga um importante discurso na convenção anual do seu setor.

A segunda coisa importante a ser lembrada sobre a sua campanha de visibilidade pessoal é: tudo importa. Quando você está promovendo a marca Você, tudo o que você fizer – e tudo o que você escolher não fazer – comunicará o valor e o caráter da marca. Tudo mesmo, desde a maneira como você lida com conversas telefônicas até as mensagens de e-mail que envia e a maneira como conduz os negócios em uma reunião, faz parte da mensagem maior que você está enviando sobre a sua marca.

Em parte, essa é uma questão de substância: o que você tem a dizer e quão bem você consegue dizer. Mas também é uma questão de estilo. Na Internet, suas comunicações demonstram um domínio da tecnologia? Nas reuniões, você mantém suas contribuições curtas e diretas? Esse esforço chega ao nível da marca impressa em seu cartão de visita: concebeu um logotipo bonito para o seu próprio cartão? Você está demonstrando uma apreciação pelo *design* a ponto de demonstrar que você entende que a embalagem conta – muito – em um mundo poluído por informação visual?

A chave para qualquer campanha de marca pessoal é o "*marketing* boca a boca". A sua rede de amigos, colegas e clientes é o veículo de marketing mais importante que você tem; o que eles dizem sobre você e suas contribuições é o que o mercado vai avaliar como o valor da sua marca. Portanto, o grande truque para construir a sua marca é encontrar maneiras de nutrir sua rede de colegas – e fazendo isso conscientemente.

QUAL É O VERDADEIRO PODER DA MARCA *VOCÊ*?

Se você deseja expandir a sua marca, precisará chegar a um acordo com o poder – o seu próprio poder. A lição chave será: poder não é uma palavra suja! Portanto, não tenha nojo dela.

Na verdade, poder, na maioria das vezes, é um termo mal compreendido e uma capacidade mal utilizada. Estou falando de um tipo de poder diferente do qual costumamos nos referir. Não é o poder da escada na projeção de uma carreira, que mostra quem é melhor em escalar os "corpos adjacentes" na hierarquia da empresa. Também não diz respeito a quem tem o maior poder do escritório por metro quadrado ou quem tem o poder do título acadêmico mais extravagante, como aponta o diploma na parede.

É poder de influência

O poder a que me refiro é ser conhecido por fazer a contribuição mais significativa em sua área específica. É poder de reputação. Se você fosse um estudioso, mediria pela quantidade de vezes que suas publicações são citadas por outras pessoas. Se fosse um consultor, mediria pelo número de CEOs que têm seu cartão de visita em seus *Rolodexes*. E, melhor ainda, a quantidade de pessoas que sabem o número do seu celular ou *WhatsApp* de cor!

Obter e usar o poder – de forma inteligente, responsável e, sim, poderosa – são habilidades essenciais para o crescimento de sua marca. Uma das coisas que nos atraem em certas marcas é o poder que elas projetam. Como consumidor, você deseja se associar a marcas cuja presença poderosa cria um efeito de auréola que afeta você positivamente.

E o mesmo acontece no local de trabalho, no mundo corporativo e no empreendedorismo. Há viagens de poder que valem a pena serem feitas – e que você pode fazer sem parecer um idiota megalomaníaco egocêntrico e autoengrandecedor. Você pode fazer isso de maneiras pequenas, lentas e sutis.

Sua equipe está tendo dificuldades para organizar reuniões produtivas? Seja voluntário para escrever a pauta para a próxima reunião. Você estará contribuindo com a equipe e decidirá o que estará dentro e fora da discussão. Quando é hora de escrever um relatório pós-projeto, todos em sua equipe se envolvem? Implore pela chance de escrever o relatório – porque a mão que segura a caneta (ou os dedos que tocam o teclado) escreverá, ou pelo menos moldará, a história da organização.

Mais importante, lembre-se de que o poder é, em grande parte, uma questão de percepção. Se você quer que as pessoas o vejam como uma marca poderosa, aja como um líder confiável. Quando você pensa com a cabeça da marca *You*, você não precisa da autoridade expressa em organogramas para se mostrar um líder. Quando estiver pensando e agindo assim, você será um líder. Você está liderando você mesmo!

Uma chave para aumentar o seu poder é reconhecer o simples fato de que agora vivemos em um mundo em que os projetos dirigem as realizações e atraem o dinheiro. Quase todo o trabalho feito hoje é organizado em pequenos pacotes chamados projetos. Um mundo baseado em projetos é ideal para o crescimento de sua marca: projetos existem em torno de entregas que alguém ou alguma empresa necessita. Eles criam marcadores mensuráveis e deixam você com gabaritos. Se você não está gastando pelo menos 70% do seu tempo trabalhando em projetos, criando ou organizando suas tarefas (aparentemente mundanas) em projetos, infelizmente você está vivendo no passado. Hoje é preciso pensar, respirar, agir e trabalhar em projetos.

O *Project World* torna mais fácil para você avaliar – e anunciar – a força da marca *You*. Mais uma vez, pense como os gigantes pensam. Imagine-se um gerente de marca na *Procter & Gamble.* Quando você olhar para os ativos da sua marca, o que poderá adicionar para aumentar o seu poder e presença percebida? Você estaria melhor com uma simples extensão de linha – assumindo um projeto que adiciona incrementalmente à sua base existente de habilidades e realizações? Ou você estaria melhor com uma linha de produtos totalmente nova a ser implementada? Está na hora de se mudar para o exterior por alguns anos, aventurando-se fora de sua zona de conforto (mesmo fazendo um movimento lateral), abordando algo novo e completamente diferente? Pense nisso.

Seja qual for a sua decisão, penso que você deve olhar para o poder da sua marca e fazer um exercício de currículo renovado. A palavra aqui é gestão – um exercício que você começa eliminando de uma vez por todas a palavra "currículo". Você não tem mais um currículo antiquado! Você tem uma brochura de *marketing* para a marca *You*. Em vez de uma lista estática de títulos e cargos que ocupou, a sua brochura de *marketing* dá vida às habilidades que você dominou, aos projetos que entregou, às coisas das quais você pode se gabar. E, como qualquer boa brochura de *marketing*, a sua precisa de atualização constante para refletir o crescimento – amplitude e profundidade – da marca *Você*.

O QUE SIGNIFICA LEALDADE PARA VOCÊ?

Todo mundo está dizendo que a lealdade se foi, que a lealdade está morta e que acabou a fidelidade. Eu acho isso um monte de porcaria.

Acho que hoje a lealdade é muito mais importante do que já foi no passado. Uma carreira de quarenta anos na mesma empresa pode ter sido chamada de uma carreira em que houve lealdade à empresa; a partir de agora, parece muito com uma vida de trabalho com pouquíssimas opções, oportunidades e poder individual. Isso é o que costumávamos chamar de servidão contratada.

Hoje, a lealdade é a única coisa que importa. Mas não penso na lealdade cega à empresa. Penso na lealdade aos seus colegas, à sua equipe, ao seu projeto, aos seus clientes e, acima de tudo, lealdade a si mesmo, aos seus ideais, aos seus princípios e valores. Eu vejo isso como um senso de lealdade muito mais profundo do que a lealdade irracional ao logotipo da Empresa Z.

Sei que isso pode soar como egoísmo. Mas ser CEO da Você S/A exige que você aja de forma egoísta – para crescer, para se promover, para que o mercado se recompense. Claro, o outro lado da moeda egoísta é que qualquer empresa para a qual você trabalhe deverá aplaudir cada um dos esforços que você fizer para se desenvolver. Afinal, tudo o que você faz para crescer a *Me Inc.* (você como profissional individualmente) será um molho para eles: os projetos que você liderar, as redes que você desenvolver, os clientes que você encantar, as coisas que você criar gerarão créditos para a empresa. Contanto que você esteja aprendendo, crescendo, construindo relacionamentos e entregando ótimos resultados, é bom para você e é ótimo para a empresa!

Essa lógica ganha-ganha vale enquanto você estiver nessa empresa em particular, que é precisamente onde a era da agência livre entra em jogo. Se você está tratando o seu currículo como se fosse um folheto de *marketing*, você aprendeu a primeira lição da agência livre. A segunda lição é aquela que todos os atletas profissionais de hoje aprenderam: você precisa consultar o mercado regularmente para ter uma leitura confiável do valor de sua marca. Você não precisa estar procurando um novo trabalho para ir a uma entrevista de emprego. Nesse sentido, você nem precisará ir a uma entrevista de emprego real para obter um *feedback* útil e importante.

A verdadeira questão aqui é: como está a sua marca? Monte o seu próprio "grupo de usuários" – a marca pessoal *Você* agirá de modo equivalente a um grupo de revisão de *software* com código aberto. Peça – insista, na verdade – um *feedback* honesto e útil sobre seu desempenho, seu crescimento e seu valor. É a única maneira de saber quanto você valeria no mercado aberto. É a única maneira de ter certeza de que, ao declarar a sua agência livre, você estará em uma forte posição de barganha. Não é deslealdade com "eles"; é a gestão responsável da marca *You* – o que também gerará crédito para eles.

QUAL É O FUTURO DA MARCA *VOCÊ*?

Acabou. Não há mais hierarquias verticais. Não haverá mais escadas para representar ascensão. Não é mais assim que as carreiras funcionam e se desenvolvem. A linearidade está fora. Uma carreira é agora um tabuleiro de xadrez ou até mesmo, em alguns casos, um labirinto. Está cheio de movimentos que vão para os lados, para a frente, deslizam na diagonal, até retrocedem, quando isso fizer sentido (muitas vezes acontece). Uma carreira é um portfólio de projetos que ensinam novas habilidades, adquirem novos conhecimentos, desenvolvem novos recursos, aumentam seu conjunto de colegas e, constantemente, reinventam você como uma marca.

Ao traçar o caminho que a sua "carreira" deverá seguir, lembre-se: a última coisa que você quer fazer é se tornar um gerente fixo. Assim como "currículo", "gerente" é um termo obsoleto. É praticamente sinônimo de "trabalho sem saída". O que você quer é uma dieta constante de projetos mais interessantes, mais desafiadores, mais provocativos. Quando você olhar para a progressão de uma carreira construída a partir de projetos, a direcionalidade não será apenas difícil de rastrear – qual é o caminho a seguir? –, mas também totalmente irrelevante.

Em vez de se tornar um escravo do conceito de carreira, reinvente-se de forma semirregular. Comece escrevendo a sua própria declaração de missão para guiá-lo como CEO da *Me Inc.* O que o excita? Aprender algo novo? Ganhar reconhecimento por suas habilidades como assistente técnico? Pastorear novas ideias ao mercado? Qual é a sua definição pessoal de sucesso? Dinheiro? Poder? Fama? Ou fazer o que você ama? Sejam quais forem as respostas que você der a essas perguntas, procure incansavelmente por oportunidades de trabalho ou projetos que se ajustem à sua declaração de missão. E revise essa declaração de missão a cada seis meses, para ter certeza de que ainda acredita no que escreveu. E persiga isso!

Não importa o que você esteja fazendo hoje, há quatro coisas com as quais você deve se comparar. Primeiro, você precisa ser um ótimo companheiro de equipe e um colega de apoio para ela. Segundo, você precisa ser um especialista excepcional em algo que tenha valor real. Terceiro, você deve ser um visionário de calibre amplo – um líder, um professor, um "imaginador" perspicaz. E quarto, você precisa ser um empresário de si mesmo – precisa ser obcecado por resultados pragmáticos.

É simples assim: afinal, você é uma marca! E só você é o responsável pela gestão dela. Não existe um caminho único para o sucesso e não existe uma maneira certa de criar a marca chamada *Você*, exceto fazendo isso: começando hoje!*

* Tom Peters é a marca líder mundial quando se trata de escrever, falar ou pensar sobre a nova economia. Ele lançou um CD-ROM sobre isso intitulado "Tom Peters' Career Survival Guide" (Houghton Mifflin interativo).

09

O PODER DA MARCA BELLINO, UMA MARCA PESSOAL AVALIADA EM R$ 78 MILHÕES

"Como não sabia que era impossível, foi lá e fez"

Jean Cocteau, poeta.

A sua marca é o seu negócio, e o seu negócio é a sua marca. Certo dessa afirmação, quero me dedicar agora a mostrar o poder de uma marca. E penso que tenho autoridade para isso, uma vez que consegui criar uma marca valiosa para o mercado nacional e internacional.

Cada vez mais os empreendedores precisam prestar atenção a esse aspecto e se dedicar a criar uma imagem positiva e valiosa para as suas marcas. Elas, em um primeiro momento, podem ser classificadas como bens "intangíveis", mas estão se tornando cada vez mais tangíveis, principalmente no coração do seu negócio. Caso você seja um empreendedor e faça um trabalho de excelência, será difícil falar sobre a marca sem lembrar do seu negócio.

Marcas e negócios, somados, tornam-se muito mais valiosos do que se tomados individualmente. Você tem um grande poder nas mãos, e neste capítulo eu trago um *case* concreto para que você consiga visualizar o que estou escrevendo.

Antes de mostrar o impacto da marca Bellino, quero contextualizar com mais precisão como cheguei a esse grande feito e deixar algumas dicas para que você também tenha uma marca poderosa, de impacto e valiosa, como a minha.

REPUTAÇÃO

Em nossa trajetória empreendedora sempre buscamos a excelência nas negociações. Mas, se pararmos para pensar sobre o peso de uma marca ao influenciar essa jornada, provavelmente ficaremos surpresos com o tempo que podemos economizar quando uma marca fala por si, quando o mercado deseja estar associado a uma marca em especial, principalmente no fechamento das vendas. Imagine você, obtendo resultados positivos, antes mesmo de começar a vender, apenas com a exposição da sua marca!

As vendas não começam quando estamos falando com o cliente, nem quando ouvimos dele o "sim". Elas devem começar antes que o vendedor ligue para o cliente em potencial. Porém, isso só é possível se a marca tem uma reputação admirável e desejável no mercado. Uma marca com boa reputação contribui para a valorização dos seus produtos e serviços. Da mesma forma, uma má reputação da marca desvalorizará produtos e serviços e trará ainda mais declínio nas vendas, na imagem, e desgaste de energia e recursos para recuperar o que foi perdido – isso sem falar do espaço cedido à concorrência, que agora lutará com unhas e dentes para não desocupar a posição que antes era sua.

UMA MARCA FORTE TEM COMO BASE UM EMPREENDEDOR DE REPUTAÇÃO FORTE

Ao longo da minha jornada, venho construindo uma reputação forte na vida e nos negócios. Um traço da minha personalidade, como destaquei no início do livro, é ser um homem visionário e ter como valor a criação de negócios que possam perpetuar e transformar/impactar vidas. Certa vez, um entrevistador que acompanhava o meu trabalho havia algum tempo listou alguns passos que identificou ao entrevistar-me. A partir do sumário que aquele entrevistador realizou, é possível exemplificar a minha jornada como empreendedor na construção de uma marca forte, uma marca de reputação.

1. **Seja confiável, íntegro. 'Faça o que você diz e diga o que você quer dizer'**

Sem reputação, você não tem nada que faça as pessoas se sentirem atraídas pelo seu produto, serviço ou mesmo amizade. Quando abrir a boca para dizer algo, ainda que seja importante ou verdadeiro, a reputação que você não tem impedirá que as pessoas se voltem para ouvi-lo. Construir uma reputação digna e confiável segue junto com a certeza que as pessoas têm de que você sempre faz a coisa certa, mesmo quando ninguém está olhando.

A isso, também chamamos de integridade. Ao longo de minha trajetória de vida pessoal e empreendedora, eu sempre procurei demonstrar ao mercado a coerência em minhas ações.

2. Gerencie e se aproveite de sua imagem no mercado digital

Há alguns anos temos vivido uma experiência pessoal e profissional cada vez mais centrada no mundo digital. Nossa vida pessoal, familiar, social e profissional aparece aqui e ali, em sites, redes sociais, conteúdo de marca, técnico, profissional, digital, de áudio (*podcast,* por exemplo) e vídeos diversos. Desse modo, gerenciar o que aparece *on-line* sobre você é fundamental. Afinal, isso é parte da sua própria produção e diz respeito à gestão da marca *Você*.

Pesquisas mostram que, por trás de todas as decisões importantes de compra que empresas e consumidores finais tomam, os clientes em potencial estão pesquisando cada vez mais informações disponíveis *on-line* para aliviar a sua preocupação ou indecisão de compra. Nos próprios sites de vendas das grandes varejistas, como aqueles especializados em reunir testemunhais de clientes sobre a satisfação e insatisfação com este ou aquele produto, tudo tem estado registrado *on-line* para que as pessoas saibam como é esse serviço, produto ou marca.

O que elas encontrarão quando analisarem a sua presença *on-line*? Graças à atenção que dou ao gerenciamento de minha imagem, tenho me mantido como um grande empresário com presença digital definida e coerente com o que as minhas empresas oferecem.

3. Lidere através da educação

Escrever um artigo, publicar livros ou falar para um grupo especializado em certo segmento pode agregar valor e demonstrar a sua experiência no campo de atuação que é o seu forte. Não faça do conteúdo que você tem para disponibilizar um discurso meramente de vendas, porque isso não será necessário quando se é uma referência e irá desanimar os seus possíveis *prospects*.

Posicionar-se como um especialista no assunto é toda a publicidade de que você precisa. As vendas e novas consultas acontecerão como resultado natural da exposição que você fizer daquilo em que é bom! Eu tenho sido considerado um mestre em ajudar as pessoas através dos meus conteúdos, e de fato não tenho medido esforços para compartilhar dicas e ensinar através do meu exemplo pessoal. Isso me dá satisfação, senso de realização e, naturalmente, gera dividendos ao longo do tempo, o que o valor da marca BELLINO está aí para comprovar.

4. Seja um líder de pensamento

É certo que todos nós gostaríamos de trabalhar com uma pessoa inteligente, que pudesse agregar valor, conhecimento, e nos desafiar a sermos melhores a cada dia. Os líderes de pensamento como eu ensinam e influenciam os outros. Com a dedicação com que nos envolvemos com os negócios e a capacidade que empreendedores têm e desenvolvem, moldamos as perspectivas em questão e damos aos clientes a tranquilidade de saber que estão trabalhando com os melhores.

Alguém já disse que "o bom julgamento vem da experiência, mas a experiência vem dos maus julgamentos. Em nenhum lugar isso é mais verdadeiro do que no crescimento empresarial". A frase tem sido atribuída a Mark Twain, e ela é verdadeira, sem dúvida. Os erros que cometemos pavimentam uma estrada segura para aqueles que conseguem aprender com eles, reavaliar seus procedimentos e retomar com novas maneiras de fazer a coisa – e fazer a coisa certa. A partir daí se pode esperar bons julgamentos, pois a experiência terá sido consolidada.

É no decorrer da jornada da construção de uma marca e de sua reputação que ganhamos uma boa bagagem de experiências. Mas o que muitas pessoas não se dão conta é que a experiência necessária adquirida vem de tentativas de dar certo, dos erros e dos acertos durante o processo. Um grande amigo e mentor, o Geraldo Rufino, uma vez me disse: "você pode errar muitas vezes e pode até falir um negócio, mas nunca erre ou falhe para deteriorar a sua moral". Erre e acerte para adquirir experiência e credibilidade.

Na jornada de construção de marca e reputação você pode errar, desde que não permita que o seu erro afete a sua essência, ou desvirtue o seu propósito. Os erros que cometer na construção da sua marca não podem afetar a alma dela. Como tenho sido uma pessoa comprometida, que não tem medo de errar, eu realizo o que penso ser o certo visando a perpetuidade de meus negócios e daqueles que oriento, além do impacto positivo na vida das pessoas envolvidas nesses projetos e empreendimentos.

GERAR CONFIANÇA

Boa parcela que compõe o valor de um negócio vem da confiança que os clientes depositam nele, da crença na visão otimista e criativa da marca, da direção ou da oportunidade que apresenta. Esses fatores ou certezas podem ajudar uma empresa a atrair os melhores talentos para si, obter o financiamento certo para implementar novos projetos ou desenvolver novos produtos ou garantir os parceiros mais fortes, o que aumentará o seu *market share*.

A reputação que surge dessas interações deve ser conquistada continuamente para que seja sustentável. Novos conceitos de negócios têm um enorme valor em um cenário repleto de oportunidades. Ao me concentrar em metas, visão, talento e recursos, tenho aberto as portas, ao longo dos anos, para o crescimento inteligente do empreendedorismo (e dos empreendedores que se envolvem com a minha marca), o valor da marca e a sua relevância contínua – tudo o que gera poder de permanência e sucesso.

Recentemente, a empresa *JOYPI Branding Valuation* fez uma projeção de *valuation* da marca Bellino. O Aguinaldo Dalberto, CEO e Sócio Fundador da empresa, conta que foi utilizada para fundamentações do estudo, a minha *expertise* de dezoito anos em avaliação, criação, proteção intelectual de marcas e negócios, além de projeções publicadas e amplamente conhecidas no mercado internacional pela *Syncapse Corp, Equidam.com, Harvard Business School, Forbes* e entre outros de igual relevância. Foi assim que a *JOYPI* avaliou a Marca Bellino em R$ 78 milhões, ou seja, em dados concretos e na confiança de que essa marca faz entregas reais e mensuráveis!

E não para por aí. Nas palavras do Aguinaldo Dalberto, CEO da *JOYPI Branding Valuation*:

> São dezoito anos de vivência e experiência em negócios, resultando em uma tese, uma metodologia que desenvolvi para *Valuation* de marca. A gente fez um estudo para o Ricardo Bellino, e avaliamos a marca dele em R$ 78 milhões de reais. A Junta Comercial de São Paulo validou a nossa metodologia, utilizada para se chegar a esse *valuation* ativos de intangíveis de uma marca. É claro que fico muito feliz com esse resultado, e também por reconhecer o trabalho de muitos anos do Bellino, sendo reco-

nhecido agora através da nossa metodologia. E o mais legal disso é: essa metodologia é inspirada em outras metodologias fora do Brasil, e todos os dados avaliados da **MARCA DO BELLINO DEMONSTRAM QUE ELA PODE PASSAR A CASA DOS R$ 100 MILHÕES EM BREVE**. Portanto, será feita uma atualização muito em breve desse *valuation*.

QUANTO VALE UMA VERDADEIRA AMIZADE

Os dividendos podem atingir e superar os R$ 78 milhões? Certamente você responderá que uma verdadeira amizade não tem preço. E essa é a mais pura verdade. Mas, quando colocamos essa pergunta sob a perspectiva dos dividendos que uma verdadeira amizade pode gerar, deixamos o preço de lado para falar do valor intangível que se pode construir quando duas mentes brilhantes se unem e se transformam em uma única mente. Esse processo se chama *mastermind,* um termo cunhado por Andrew Carnegie para definir o sistema que ele criou na gestão do seu império do aço, conceito que vem sendo difundido ao redor do mundo pelos fiéis seguidores de Napoleon Hill, nos últimos mais de 100 anos. Há algumas qualidades e alguns comportamentos que são fundamentais para identificarmos um empreendedor. Napoleão Hill foi, com certeza absoluta, o homem que lançou, que escreveu e que diagnosticou um perfil e indicou quais os comportamentos fundamentais a uma pessoa empreendedora.*

Recentemente recebi o deferimento da alteração contratual de nossa empresa de empreendimentos e participações, a Bellino's Unlimited, que amplia o nosso capital social em mais R$ 78 milhões. Essa ampliação se deu em função da integralização da marca BELLINO em nosso balanço patrimonial de ativos intangíveis, cujo registo definitivo foi recentemente concedido pelo INPI, como foi anunciado em primeiríssima mão no portal da EXAME, no Blog da minha querida amiga e parceira de negócios, Carol Paiffer.

Mais importante do que o valor nominal dessa ampliação de capital, foi a emoção de reencontrar no fundo do baú o cartão-postal que enviei para o Samuel Goldstein, em 1985, diretamente do YMCA, na rua 47, quando estava em Nova Iorque lutando pelo meu primeiro sonho grande, o de me tornar sócio de John Casablancas e levar a agência de modelos *Elite* para o Brasil.

O que posso concluir com isso é que para empreender com sucesso você terá que aprender na sua "escola da vida" o que jamais irá aprender nas escolas tradicionais. Entre as matérias extracurriculares que a "escola da vida" ensina, eu destacaria três, sendo elas:

*. No livro *Acelerador de Pessoas,* publicado por Ricardo Bellino, há um capítulo que reproduz uma live *feita* entre Bellino e Jamil Albuquerque, fundador e presidente da Fundação Napoleon Hill no Brasil, que se dedica a ensinar, consolidar e difundir o conceito de *mastermind.*

» Gerenciamento de egos;
» Defesa pessoal contra SADIM's (os anti-Midas);
» Estratégias de negociação contra "Deal Breakers" (especialistas em destruir relacionamentos e negócios).

Sim, as universidades conhecidas ensinam um aparato técnico-científico inquestionável, dão alguma credibilidade ao seu "currículo", provêm uma parceria com empresas, meio pelo qual você poderá ingressar em uma ambiciosa carreira numa empresa de ponta. Mas devemos reconhecer que somente a experiência de vida, aquela adquirida na "escola da vida", pode dar a você um "complemento curricular" em disciplinas fundamentais para transitar com desenvoltura pela vida de empreendedor que todos nós almejamos.

É nessa "escola da vida" que aprendemos a gerenciar egos, quando somos confrontados com a realidade social e pessoal não ensinada nas disciplinas regulares dos cursos universitários. Somente no dia a dia das relações pessoais nós somos confrontados com a realidade, com o mundo real, ou, como disse Nelson Rodrigues, com a vida como ela é!

Também a defesa pessoal contra SADIM's, aquelas pessoas que estão nos ambientes corporativos, e que são os "anti-Midas", que trabalham para que você não se supere, não produza bons resultados e não prospere o quanto deveria prosperar de acordo com a sua capacidade produtiva, criativa e empreendedora.

Por fim, somente na "escola da vida" você aprenderá a lidar e a desenvolver estratégias de negociação contra "Deal Breakers", os especialistas em destruir relacionamentos e negócios. Eles se ocupam não de gerar receitas, criar novos relacionamentos, abrir portas, agregar valor, mas trabalham nas sombras da inveja, consomem suas energias destruindo o que outros estão construindo de valor. Você não deve se associar a estes, apenas deverá se empenhar em receber e absorver o conteúdo que a "escola da vida" lhe der, porque, fazendo isso, você irá desenvolver um diferencial competitivo que o colocará nos mais desejados postos de uma carreira de sucesso!

10

PERSONAL BRANDING: COMO CONSTRUIR UMA MARCA MILIONÁRIA

por Paulo Moreti

Para poder explicar o título que demos a este capítulo e por que o *Personal Branding* é tão importante para se construir uma marca milionária, precisamos começar contando o início desta história.

... em um lugar não tão distante de nós, um rapaz de 21 anos, luso-brasileiro, carioca, inquieto e visionário, larga sua faculdade de Economia em busca de algo maior e muda-se para São Paulo. E assim começa esta história, talvez ainda sem saber aonde tudo isso o levaria, mas com a certeza inabalável de que tudo daria certo.

E esse é o início de uma marca milionária.

Ricardo Bellino traz para o Brasil a mega-agência de modelos Elite Models, de John Casablanca, sem nem ao menos falar inglês e sem um tostão no bolso, como costuma dizer. Foi sócio de Donald

Trump; "importou" para o País a campanha das camisetas do câncer de mama, colocando o famoso símbolo do alvo no peito de milhões de brasileiras; entre tantos outros feitos que você já deve conhecer.

Mas, agora, quero que você reflita!

Sabe por que temos dificuldade de construir marcas milionárias?

A resposta é simples, estamos entregando para o mercado mais do mesmo! Sim! Estamos sendo profissionais, como costumo dizer, "comoditizados". Os mesmos currículos, as mesmas habilidades, mas com pouca paixão para encantar o cliente, inovar e gerar boas experiências.

Tudo isso fica muito claro quando confronto os profissionais, independente da área que eles sejam e do estágio de sua vida profissional, com uma pergunta simples, mas poderosa:

Você que lê aqui pode até achar que não é algo tão complexo assim, mas posso garantir que muitos, mas, muitos, profissionais travam na hora de responder. Muitos me perguntam seu eu quero que fale do pessoal ou do profissional, então eu respondo que simplesmente perguntei quem ele(a) é!

Após alguns segundos de introspecção e reflexão, vem a magnífica resposta: sou Fulano, tenho X anos e trabalho na empresa Y ou tenho uma empresa, então eu retomo para ele(a) e digo:

– *Bom, agora que eu já sei que você é Fulano, tem X anos e trabalha na empresa Y ou é dono de uma empresa, e se eu perguntasse a você novamente: quem é você?*

Nesse momento, surge a expressão de interrogação, como se eu estivesse fazendo a pergunta que vale 1 milhão de dólares, mas, na realidade, é a pergunta que pode te levar a 1 milhão de dólares! E nesse momento muitos travam e não sabem o que responder, alguns poucos andam um pouquinho mais. Esse questionamento que fiz não é por acaso, já é o primeiro passo para se construir uma marca milionária, mas também um exercício ou uma provocação que Scott Bedbury, que foi diretor de publicidade da Nike e chefe de marketing da Starbucks, fazia. Ele dizia que, cada vez que ele perguntava mais e mais, as pessoas traziam novas informações, buscando mais fundo dentro delas e se mostrando; com isso, perceba-se que elas não eram apenas um nome, uma idade ou representavam uma empresa, elas eram casadas, tinham hobbies, se dedicavam a causas e muito mais.

Aqui já é possível se ter uma ideia do porquê temos dificuldades de construir marcas milionárias, mas isso é só o início. Não querendo te desmotivar, pelo contrário, quero instigar você a refletir sobre tudo que vou tratar aqui.

Marty Neumeier, americano, autor e palestrante, que considero uma referência em *branding,* tem uma frase bem interessante para conceituar marca.

"Marca é um sentimento visceral que uma pessoa tem sobre um produto, um serviço ou uma organização."

The Brand Gap | Marty Neumeier

E, conversando com Ricardo Bellino, entendemos que, para trazer para o nosso contexto, vamos pedir uma licença poética a Marty Neumeier e acrescentar à sua frase o seguinte trecho: "e uma pessoa".

"Marca é um sentimento visceral que uma pessoa tem sobre um produto, um serviço, uma organização *e uma pessoa.*"

Esse "sentimento visceral" é algo tão intenso e, de certa forma, inexplicável, que nos leva a pensar: o que faz uma pessoa torcer por um time ou por outro? O que leva uma pessoa a largar seu empego, pegar seu fundo de garantia, viajar para outro país para ver seu time jogar na final da Libertadores da América e talvez retornar, sem taça, sem dinheiro, sem emprego? O que leva uma pessoa a tatuar no corpo a marca (brasão) do seu time do coração?

Afinal, ela não ganhará o salário que aqueles jogadores ganham, ela não ganhará os patrocínios de marketing de marcas importantes, mas vai ao estádio, compra seu ingresso, torce, briga e, em alguns casos, até mata em função do time.

Esse é o poder que uma marca tem em relação às pessoas, são as experiências que ela gera, os benefícios que ela traz, mesmo que intangíveis.

Sua marca pessoal é:

» o que você diz;
» o que você faz;
» o que você pensa;
» o que você posta;
» o que você escreve em seus e-mails;
» o que você compartilha;
» como você responde seus posts, e-mails, WhatsApp;
» como você interage on e offline.

LIMPANDO PRECONCEITOS

Antes de começar a falar do nosso tema principal, eu preciso quebrar alguns conceitos errados sobre o *Personal Branding*:

» *Personal Branding* não é uma modinha que veio e vai passar, ele será a moeda de troca do profissional do futuro.
» *Personal Branding* não é receita de bolo. Como foi desenvolvido para um(a) profissional, não serve para outro, pois estamos falando de você, dos seus valores, dos seus diferenciais e de tantas outras coisas.
» *Personal Branding* não é Marketing Pessoal, são conceitos diferentes, mas que precisam andar extremamente conectados e alinhados, e não é para ser usado somente em um momento específico, mas sim em toda a sua vida profissional e pessoal, para que você possa chegar ao sucesso e ter uma marca pessoal milionária.

O que estamos tratando aqui é de uma poderosa estratégia com metodologia, um modelo de gestão orientada para o seu maior ativo, VOCÊ!!!

Porém, isso assusta muitas pessoas, afinal, já vimos que muitas não conseguem nem responder quem são! Mas você sabe por que isso realmente assusta?

Porque falta um processo que leve a pessoa ao autoconhecimento. Saber quem você é, o que faz, para quem faz, o que o torna único e ter um posicionamento claro se torna muito difícil quando não se tem autoconhecimento. Você pode reparar como é fácil falar de outra pessoa, identificar os pontos fortes dela, seus valores e atributos, porém, quando esse discurso todo é voltado para o próprio indivíduo, alguns pudores, medos, inseguranças, autocríticas e o famoso gatilho do sabotador aparecem para atrapalhar.

Mas saiba de uma coisa: tudo que você precisa para trabalhar o autoconhecimento está aí dentro da sua cabeça, você só precisa de um processo que o(a) ajude a resgatar tudo isso. O que eu estou falando não é achismo, mas, sim, NEUROCIÊNCIA!

Para que você entenda melhor, vou mostrar onde tudo começa, a Teoria do Cérebro Trino, elaborada em 1970 pelo neurocientista Paul MacLean.

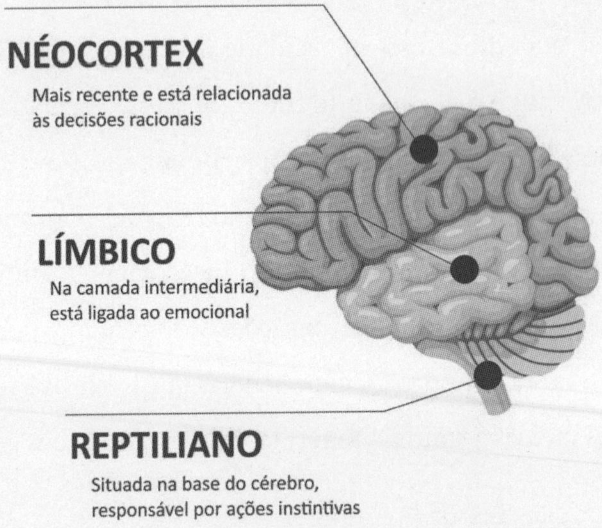
NÉOCORTEX
Mais recente e está relacionada
às decisões racionais
LÍMBICO
Na camada intermediária,
está ligada ao emocional
REPTILIANO
Situada na base do cérebro,
responsável por ações instintivas

Nessa teoria, Paul MacLean defende que o cérebro é dividido em três unidades funcionais diferentes, sendo cada uma delas responsável por uma resposta: tomada de decisão, emoção, ação e reação.

O **cérebro reptiliano** é considerado nosso cérebro mais antigo, podendo ser chamado também de cérebro basal, e equivale ao sistema nervoso dos répteis. Esse cérebro é responsável pelos reflexos e sensações simples, essenciais e involuntários para nossa sobrevivência, como respirar.

O **cérebro límbico ou emocional** é o segundo nível em nossa organização cerebral, ou seja, é quem controla nossas emoções e comportamentos sociais. É responsável por reter memórias de comportamentos, definir momentos bons e ruins, dessa forma, mesmo que inconscientemente, ele exerce influência sobre nossos valores e comportamentos.

E, por último, temos o **cérebro racional**, chamado de neocórtex, que é exatamente o que nos diferencia dos demais animais. É nele que se encontra nossa capacidade de aprendizagem e pensamento racional e é nele que tudo acontece, nossa capacidade de comunicação e linguagem, pensamentos, movimentos e muito mais.

Segundo a neurociência e um estudo feito pela Universidade de Harvard, 95% das nossas decisões são inconscientes, ou seja, fazemos isso de acordo com nossas sensações, praticamente por impulso, o que pode ser justificado por experiências que tivemos e ficaram armazenadas ou até mesmo podem estar ligadas a questões genéticas.

> De acordo com Fernando Kimura, especialista em Neuromarketing pela Universidad de Buenos Aires: "As marcas fazem de tudo para que as compras sejam inconscientes, ou seja, emocionais, pois assim o consumidor cria uma relação com o produto que pode nunca mais ser rompida".

Você deve estar pensando: "ok, aprendi um pouco mais sobre o meu cérebro, mas o que isso tem a ver com construir uma marca milionária?".

Sabe aquela ideia de um projeto ou produto, aquela sacada, a resposta certa em uma negociação, então, elas surgem desse processo, pois tudo começa aí dentro de você. Já falamos sobre quem é você e espero que tenha exercitado. Agora, para que isso fique melhor e mais alinhado, o autoconhecimento é a base para essa construção, pois, quanto mais você o adquire, mais o seu cérebro irá armazenar informações aprendidas para resgatá-las quando necessário, criando sinapses neurais e fazendo, assim, novas conexões que chamamos de neuroplasticidade.

Lembre-se, da mesma forma ocorre com os "consumidores" da sua marca pessoal assim como a relação da sua marca pessoal com as pessoas que se relacionam com ela.

MARCAS SÃO CRIADAS NA MENTE DO "CONSUMIDOR"

> **"Produtos são feitos nas fábricas, mas marcas são construídas na mente."**
>
> *Walter Lando, pioneiro das técnicas de branding e pesquisa do consumidor*

Por mais que questionemos, a verdade é uma só, são as experiências que você gera, seus valores, diferenciais, propósito e a forma como você comunica tudo isso para o mercado que faz com que as pessoas desejem e queiram se conectar com a sua marca pessoal, para que, assim, ela se torne uma marca milionária.

O poder de indexação das marcas em nossa mente é fantástico, a ponto de você reconhecê-las apenas visualizando parte delas. Quer ver? A partir do recorte desta marca, veja se você a reconhece.

Com certeza, você matou de imediato de que marca se trata essa imagem, certo? Mas sinto informar que você está errado(a)!! Não se trata da BMW, mas sim de uma marca chinesa sobre a qual não vamos entrar aqui em detalhes. Mas veja que curioso, parte da imagem já trouxe à sua mente a referência de uma marca, seja por experiência de uso, desejo ou qualquer outra conexão. É a isso que me refiro quando falo do poder de uma marca, não importa se é no Brasil, nos EUA, na Europa ou até mesmo na China, a BMW é consistente em comunicar sua marca e sua mensagem da mesma forma.

Mas você deve estar intrigado com essa questão de não ser a marca BMW... pois preste atenção na imagem abaixo. Você pode observar que o nome BMW fica na parte superior da logomarca, e foi assim desde a sua criação. Além disso, para os olhos mais atentos, a fonte utilizada para escrever BMW também é diferente, veja a letra B.

Detalhes à parte, o importante aqui é entender o poder que as marcas têm em nossa mente, então, por que não fazer isso acontecer com a sua marca pessoal também? Ao torná-la uma marca pessoal de sucesso e impactar todos os seus *stakeholders*, as experiências geradas farão com que sua marca seja sempre a primeira a vir à mente deles quando falarem de negócios, possibilidades e oportunidades ligadas à sua área de atuação ou seu nicho de mercado.

Afinal, esse é o desejo de todos os profissionais, ser uma marca pessoal forte num mercado competitivo, mas, para isso, é preciso trabalhar alguns pontos no processo de *Personal Branding* (gestão de marca pessoal):

» Autoconhecimento (do qual já falamos);
» Percepção;
» Confiabilidade;
» Valor (que é bem diferente de preço, mas essa é uma conversa para outro momento);
» Reputação;
» *Awareness* (famoso reconhecimento de marca).

Tudo isso para que a forma como você se perceba seja a mesma percebida pelas pessoas ao seu redor em todos os pontos de contato, tanto online quando offline.

UM POUCO DE REFERÊNCIA E CONCEITO

Quando comentei, no início deste capítulo, que construir e fazer gestão de uma marca pessoal não se tratava de moda, é porque esse conceito já vem sendo falado e utilizado há um bom tempo.

Napoleon Hill, em 1937, foi o primeiro a falar sobre o tema em seu livro *Pense e enriqueça*; em 2010, Peter Montoya disse em um artigo da *Harvard Business Review* que o *Personal Branding* é a chave para você saber como é percebido pelos outros.

Peter Montoya e Tim Vandehey tratam em seu livro, chamado *The brand called you: Create a Personal Brand that wins attention and grows your business*, o *Personal Branding* como o caminho para a mudança, uma ferramenta potente para construir uma prática profissional de um milhão de dólares que já foi imaginada. Quando aplicado corretamente, com consistência e planejamento, o processo de *Personal Branding* auxiliará o profissional, transformando seu nome em um "produto" que se diferenciará por meio de qualidades associadas a ele, atraindo, assim, clientes mais "elitizados" e lucrativos que se conectem com a marca.

Eles ainda complementam essa ideia, dizendo:

> Sua marca pessoal é a imagem que vem à mente dos clientes em potencial quando eles pensam em você. Ela representa seus valores, sua personalidade, suas qualificações e as qualidades que fazem de você um indivíduo singular entre os concorrentes.

> Por isso é tão importante que você se mantenha autêntico ao criar a sua marca. As pessoas querem trabalhar com você, não com o produto de uma jogada de marketing

Em 2010, com a crise imobiliária ocorrida nos EUA, onde milhares de americanos perderam seus empregos, Meg Guiseppi, estrategista de *Personal Branding* e *Job Search*, encabeçou uma pesquisa na qual identificou que as pessoas estavam se utilizando do processo de *Personal Branding* para conquistar recolocações profissionais.

Dessa forma, *Personal Branding* pode ser entendido como uma estratégia que se utiliza para criação de autoridade e presença, seja no mundo *online* ou *offline*, que impacta pessoas por meio da propagação de sua história e conhecimento, ou seja, é o apoderamento de consciência de uma marca pessoal e que permite a sua gestão.

Uma boa visão sobre isso é a de Jeff Bezos, CEO da Amazon.

"Sua marca pessoal é o que as pessoas dizem sobre você quando você não está na sala."

Quando falamos em *Personal Branding,* os conceitos criados por várias personalidades e estudiosos do tema se cruzam, mas quero trazer aqui o que entendo ser um mix de alguns que entendo estarem alinhados.

De acordo com Paulo Moreti:

> Personal Branding: um processo de desenvolvimento da "marca VOCÊ" para expressar suas habilidades, personalidade e valores, com o objetivo de construir reputação e aumentar sua rede de contatos para que o procurem pelo seu conhecimento e expertise.

Você precisa trabalhar esse modelo estratégico de gestão da sua marca para que tenha claros todos os seus atributos, valores e diferenciais, aplicando-os de forma assertiva em sua comunicação verbal e não verbal, pois só assim conseguirá que outros profissionais e empesas se conectem a você, afinal, ninguém consegue promover/vender bem aquilo que não conhece e, pior, ninguém compra ou faz negócios com quem conhece.

Pense comigo, você não vai a uma adega ou bodega de vinhos comprar uma garrafa de vinho, você vai em busca de uma marca, a qual você já experimentou e teve boas experiências, ou então foi recomendada por outra pessoa. E lembre-se: essa garrafa de vinho é a mesma, seja numa cantina, numa adega ou num restaurante sofisticado.

O que eu quero dizer com isso? Que precisamos criar relevância na mente de nossos clientes/consumidores, temos que mostrar que somos únicos e que a concorrência nem sequer consegue chegar perto de nós; pode até tentar nos imitar, mas não conseguirá nos alcançar.

A coisa mais difícil e desgastante para uma marca pessoal é não ser autêntica, não trazer sua essência à tona e não refletir a verdade, porque marcas pessoais fortes e milionárias nascem da experiência que se tem com elas.

Por isso, quando estiver pensando em construir sua marca, tenha em mente que ela pode:

» Destacar pontos fortes e capacidades distintas;
» Estabelecer credibilidade;
» Inspirar;
» Ampliar a visibilidade e a conscientização do público;
» Aumentar a confiança do profissional;
» Fortalecer a marca corporativa;
» Conquistar mais clientes;
» Ampliar a consciência de marca para seus ecossistemas;
» Tornar a marca corporativa mais humanizada e desejada;
» Gerar maior sentimento de confiança nos *stakeholders*.

Creio que, com tudo que você leu neste livro, você compreendeu que construir uma marca milionária não significa apenas ter um excelente marketing pessoal, existe muito mais por trás dessa construção, e Ricardo Bellino mostrou isso. Sonhos, certeza de vencer, trabalho, *networking, netweaving* e uma estratégia de marca pessoal o levarão a conseguir tangibilizar o valor de sua marca pessoal.

E, para coroar ainda mais não só este livro, mas também toda a conceituação e importância de uma gestão de marca pessoal e seus benefícios, trago a seguir, na íntegra, o artigo científico que foi publicado na revista científica *RECIMA21*.

REVISTA CIENTÍFICA MULTIDISCIPLINAR – ISSN 2675-6218 – v. 3, n. 7, 2022, link para download: https://recima21.com.br/index.php/recima21/article/view/1719.

RECIMA21 – REVISTA CIENTÍFICA MULTIDISCIPLINAR
ISSN 2675-6218

VALUATION DA MARCA PESSOAL: ESTUDO DE CASO DO EMPRESÁRIO RICARDO BELLINO

PERSONAL BRAND VALUATION: CASE STUDY OF ENTREPRENEUR RICARDO BELLINO

RESUMO

O objetivo deste artigo é apresentar o estudo de caso de valoração da marca pessoal do empresário Ricardo Bellino, por meio do processo de *valuation* elaborado por um escritório especializado na avaliação de ativos intangíveis. O processo levou em consideração itens como: reputação, valores aportados a negócios, registro de marca, presença digital, *brand equity*, capacidade de gerar negócios e atrair investidores, entre outros. Desse modo, foi possível calcular um valor estimado de R$ 78 milhões, valor que pode legalmente ser integralizado ao balanço patrimonial da própria empresa. Esse resultado mostra ser imperativo que profissionais adotem o processo de gestão de suas marcas pessoais (*personal granding*) na gestão de suas carreiras, a fim de potencializarem o sucesso profissional, o alcance de objetivos e os resultados.

Palavras-chave: Marca pessoal; Valor de marca; Reputação; Valuation; Brand Equity.

ABSTRACT

The present paper aimed to present the valuation of the personal brand of the entrepreneur Ricardo Bellino´s case study, through the valuation process prepared by a firm specialized in the valuation of intangible assets. This process into account items such as: reputation, values contributed to the business, brand registration, digital presence, brand equity, ability to generate business and attract investors, among others. In this way, it was possible to calculate an estimated value of R$78 million, this amount can, legally, be paid into the company's balance sheet. This result show us that it is imperative that professionals adopt the process of managing their personal brands in the management of their careers, in order to enhance their professional success, the achieving goals and the results.

Keywords: Personal Brand; Brand value; Reputation; Valuation; Brand Equity.

INTRODUÇÃO

Este artigo tem o objetivo de, por meio do estudo de caso do empresário Ricardo Bellino e o *valuation* de sua marca pessoal, mostrar a importância e o poder do *personal brand* como um ativo tangível que agrega valor tanto à própria marca pessoal quanto às corporações.

O Relatório do Futuro do Trabalho de 2020 relaciona, entre seus itens, as habilidades comportamentais que as marcas corporativas procuram nos profissionais modernos, tais como: inteligência emocional, flexibilidade, comunicação interpessoal além da disposição para a aprendizagem contínua. As marcas pessoais desses profissionais já não são apenas representadas pelas habilidades técnicas, mas, além destas, pelas habilidades socioemocionais que possuem.

No passado, as marcas corporativas ditavam as carreiras de seus profissionais; hoje, estes precisam gerenciar e planejá-las para se tornarem mais relevantes e acumularem conhecimento e se manterem por mais tempo no mercado de trabalho.

O termo *branding*, utilizado no mundo corporativo, refere-se a um conjunto de ações estratégicas orientadas ao posicionamento da empresa para que sua marca seja um ativo importante, mais desejada pelos consumidores, construa uma percepção de valor, ainda que intangível, e gere conexões emocionais positivas, utilizando-se, para isso, dos valores, crenças e propósito da empresa.

Para Aaker (2015), a marca é um ativo de tal relevância que as empresas a têm percebido como uma questão estratégica dos negócios e não mais uma função da equipe de comunicação.

O *branding*, ao migrar para a esfera pessoal, é denominado *personal branding*, ou seja, a gestão de marca pessoal, que se tornou popular nos EUA em 1997, por meio do artigo *The Brand Called You*, escrito por Tom Peters. Já são passados mais de 20 anos que o artigo foi publicado, contudo, desde então, a marca pessoal com base em sua gestão tem sido uma ferramenta imprescindível para os profissionais que desejam ter um valor percebido no mercado e conquistarem visibilidade e posição destacada.

Foi nesse momento que os profissionais começaram a ter a percepção da importância de suas marcas pessoais no mercado competitivo e, desse modo, poderem fazer diferença, não pelas habilidades adquiridas em suas carreiras, mas por se lhes acrescentarem estratégias de vendas das suas marcas pessoais, que nada mais são do que um conjunto, percebido pelas pessoas, que reúne personalidade, valores, crenças, caráter, talento e habilidades.

As marcas corporativas vêm se beneficiando do valor intangível das marcas pessoais dos profissionais que atuam para elas, seja porque fazem bem seus trabalhos ou porque geram resultados e vendas, e, em troca, recebem seus salários, comissões ou contratos. As marcas corporativas, para respaldarem seu *branding*, precisam possuir uma excelente cultura organizacional, que só poderá existir por meio das marcas pessoais que lá atuam, o que significa que por trás da cultura organizacional existem pessoas (marcas pessoais) que acreditam naquilo que fazem. Desse modo, essas mesmas marcas pessoais influenciam fortemente a marca corporativa.

Todos os profissionais precisam desenvolver de forma consciente suas marcas pessoais e as comunicar com base nos 7Cs da comunicação eficaz: clareza, concisão, concretude, correção, coerência, completude e cortesia.

Todavia, nota-se que a grande maioria dos profissionais ainda não atentou para o valor de suas marcas pessoais, talvez por acharem que seja algo intangível, difícil de ser mensurado; desse modo, têm perdido grandes oportunidades.

1 MARCA PESSOAL OU *PERSONAL BRAND*

Montoya e Vandehey (2010, p. 4) afirmam que a marca pessoal é um instrumento robusto para a carreira de um profissional:

> Sua marca pessoal é a imagem que vem à mente dos clientes em potencial quando eles pensam em você. "Ela representa seus valores, sua personalidade, suas qualificações e as qualidades que fazem de você um indivíduo singular entre os concorrentes." Por isso é tão importante que você se mantenha autêntico ao criar a sua marca. As pessoas querem trabalhar com você, não com o produto de uma jogada de marketing.

Sawicki e Stori (2021) afirmam que imprimir confiança a respeito de si mesmo é fundamental para edificar uma boa reputação, tendo em vista que essa é a forma como se é percebido pelo público. Esses autores mencionam que o indivíduo deve ser reconhecido e respeitado por sua marca pessoal, pelo seu nome; deve evoluir independentemente da empresa onde trabalha, não se prender a cargos, pois estes são volúveis.

Com base no que os autores expõem, é possível dizer que, atualmente, marca pessoal é uma forte moeda de troca, no mercado; saber geri-la e mostrar seu valor único abre portas no mercado, gera negócios, valida projetos e outras marcas.

Khedher (2015) descreve marca pessoal como um processo para se instituir uma identidade que seja única, e que isso seja comunicado para o mercado de forma a que o impacto causado pela imagem e reputação leve a alcançar objetivos e resultados, no âmbito pessoal e profissional.

2 REPUTAÇÃO E REPUTAÇÃO PESSOAL

2.1 REPUTAÇÃO

A reputação sempre foi algo importante e valorizado; hoje, ela se torna mais importante ainda, se relacionada à marca. Quando se fala em reputação de uma marca está se condicionando à forma como ela é vista pelas pessoas; é o que leva uma pessoa, consumidor ou empresa a optar pela marca X ou Y. Reputação está diretamente ligada à visão que se tem de determinada marca. Ela é concebida com base na percepção dos clientes, *stakeholders*, imprensa, influenciadores digitais e do próprio mercado em relação a ela.

As visões e reações desses grupos trazem informações importantes que são utilizadas pela marca para desenvolver ações de marketing, trabalhar posicionamento e desenvolvimento de novos negócios. A reputação é um ativo intangível que todas as marcas devem desenvolver, na medida em que representa a confiança que nelas é depositada e em tudo que oferecem.

Villafañe (2004), autor do livro "La buena reputación. Claves del valor intangible de las empresas", define reputação como o reconhecimento que os *stakeholders* de uma marca fazem do comportamento da empresa, levando em consideração o grau de comprometimento que ela possui.

Deixa-se claro, entretanto, que reputação não é imagem corporativa, de acordo com esse mesmo autor, referido por Leiva Alarcón e Pérez Campos (2022). Vejam-se três diferenças apontadas pelos autores.

A primeira é que a reputação é a realidade empresarial que advém de sua história consolidada e comprovada, já a imagem corporativa é baseada na comunicação conectada a um projeto.

A segunda trata a reputação como algo estável, estruturado e permanente; a imagem corporativa possui uma natureza volúvel.

A terceira mostra que a reputação tem um aspecto mensurável e verificável, enquanto a imagem corporativa torna-se difícil de objetivar.

2.2 REPUTAÇÃO PESSOAL

Estamos vivendo em um mundo dinâmico no qual os profissionais são submetidos a trabalhar tanto online quanto offline, suas informações são compartilhadas e validadas a todo o momento, o que colabora para a construção de um rastro, um histórico.

Silva (2016) afirma que o conceito de reputação tem suas bases na gestão de impressões e nas percepções que foram construídas na sociedade, tornando-se um fator primordial para o desenvolvimento do processo estratégico de gestão de marca pessoal.

A autora expõe, com base no que Zinco et al. (2007) escreveram, que cada pessoa possui imagem, identidade e reputação próprias; essa reputação traduz a forma como cada um é percebido nos diferentes pontos de contato de suas marcas, com base em uma percepção coletiva, que é formada e partilhada pelos outros.

3 *BRAND EQUITY* E *VALUATION*

3.1 *BRAND EQUITY*

O termo em inglês *brand equity* pode ser expressamente traduzido para o português como valor de marca. Pode-se dizer que ele é o resultado do processo de branding, ou seja, o valor agregado que pode estar ligado a um produto ou um serviço, que foi dado por conta da força que uma marca conquistou no mercado.

O objetivo desse *brand equity* é conduzir a percepção e o comportamento do consumidor, como ele age e se sente em relação a marca, o que obviamente impactará e influenciará não somente a decisão de compra do consumidor, mas os lucros do negócio.

Shariq (2019), com base em Leuthesser (1998), define o *brand equity* como um conjunto de associações e comportamentos por parte de uma marca, clientes e empresas-mãe, que proporciona ganhos maiores do que obteria se não possuísse uma marca. O autor também menciona

Keller (1993), para quem o *brand equity* é um efeito diferencial do conhecimento da marca na reposta do consumidor ao *marketing* da marca.

Aaker (2007) define *brand equity* como um conjunto de ativos (e obrigações) inerentes a uma marca registrada e a um símbolo, que é acrescentado ao (ou subtraído do) valor proporcionado por um produto ou um serviço em benefício da empresa ou de um cliente.

Tomiya (2010) considera que na cadeia de valor de uma marca, a principal premissa é o *brand equity*, força de marca, a qual faz com que os diferenciais sejam percebidos pelo público de interesse, sendo que estes irão gerar expectativas de lucros futuros para a marca/empresa.

No caderno especial da Empreenda Revista (2022, p. 6), lê-se o seguinte:

> Muito do valor de um negócio vem da confiança, da crença na visão, na direção ou na oportunidade que apresenta. Essa certeza pode ajudar uma empresa a atrair os melhores talentos, obter o financiamento certo ou garantir os parceiros mais fortes. A reputação que surge dessas interações deve ser conquistada continuamente para que seja sustentável. Novos conceitos de negócios têm um enorme valor em um cenário repleto de oportunidades. Ao se concentrar em metas, visão, talento e recursos, Ricardo Bellino vem abrindo as portas para o crescimento inteligente, o valor da marca e a relevância contínua – tudo o que gera poder de permanência e sucesso.

3.2 *VALUATION*

Valuation, em inglês, pode ser traduzido para o português como avaliação de empresas, ou seja, o valor que ela possui. Calcula-se somando seus valores presentes mais a capacidade financeira projetada para o futuro.

Essa projeção baseia-se também nas percepções de investidores e clientes, sua posição ocupada no mercado, previsão de retorno de investimentos, ou seja, refere se ao impacto que esta marca gera e os valores de ativos intangíveis.

Matschke, Brösel e Matschke (2010) explicitam que *valuation* representa a atribuição de um valor a um objeto, na maioria dos casos, um valor monetário.

Com o *valuation* de uma empresa obtém-se robustas vantagens tanto comerciais quanto financeiras, tendo em vista que disponibilizam subsídios para:

- Comprar, vender e efetuar fusões de marcas;
- Definir o potencial de exploração econômica;
- Medir a valência das ações da empresa;
- Dar maior solidez nas demonstrações financeiras a fim de administrar alianças estratégicas;
- Capitalizar seu valor.

4 O HOMEM POR TRÁS DA MARCA

Ricardo Bellino, 56 anos, carioca, empresário é o empreendedor mais cobiçado do Brasil. Em sua carreira tem incluídos negócios com o ex-presidente Donald Trump, com quem desenvolveu um projeto imobiliário no interior da cidade de São Paulo, no Brasil. Também convenceu John Casablancas, fundador da Elite Model, a trazer e comandar a Elite Models no Brasil. É sócio do Grupo Sol de Educação das Américas e está diretamente ligado a grandes operações, fundos de investimento, ações empreendedoras de impacto positivo na economia brasileira e com negócios bilionários (HERINGER, 2020; ALLAN, 2022; EMPREENDA REVISTA, 2022).

Ricardo Bellino tem, em suas ações empreendedoras, projetos, listados em seu site www.bellinos.com.br, que estão à disposição de empresários e empreendedores. Vejam-se alguns:

- MENTOR S/A, Um grupo de 13 empresários, com iniciativa de injetar 50 milhões de reais em startups e negócios.
- CLUB SOL CIRQUE DU SOLEIL, projeto de *rebranding* em empreendimento icônico de multi propriedade.
- DEAL MAKER ACADEMY, criado pela Bellino's Unlimited em parceria com a Atom S/A e MUST *University*, tem como objetivo criar uma plataforma para transformação disruptiva da cultura executiva.
- ELEVADOR DO MILHÃO, programa que visa conectar sonhos e potenciais ideias de negócios a investidores.
- COMUNE DI BELLINO é a maior plataforma de programas de mentorias e master minds de alto impacto.

5 O PROCESSO DE *VALUATION*

5.1 O PROCESSO DE *VALUATION*

Movido pela pergunta se saberia qual o valor de sua marca pessoal, Ricardo Bellino decidiu contratar a empresa Joypi Branding Valuation, escritório especializado na avaliação de ativos intangíveis, para fazer esse levantamento.

Segundo Dalberto (2022), CEO da Joypi, o documento de *Valuation* levou em consideração, como o principal indicador, a percepção pública de impacto monetário gerado pelos negócios, seus valores investidos ou gerados e que já foram amplamente divulgados, dispensando questionamentos quanto a legitimidade das informações.

O CEO afirma que, se consideradas todas as iniciativas às quais a marca Bellino esteve diretamente ligada, suas mentorias, consultorias, eventos realizados nos últimos 3 anos, seu ativo monetário ultrapassaria o valor de 2 bilhões de reais.

Um outro passo foi dar entrada no Instituto Nacional da Propriedade Industrial (INPI), em outubro de 2021, o qual deferiu favoravelmente para a concessão do registro e exclusividade em todo o território nacional da marca Bellino, processos n.º 922030898 (classe de nice 16) e n.º 922031568 (classe de nice 41).

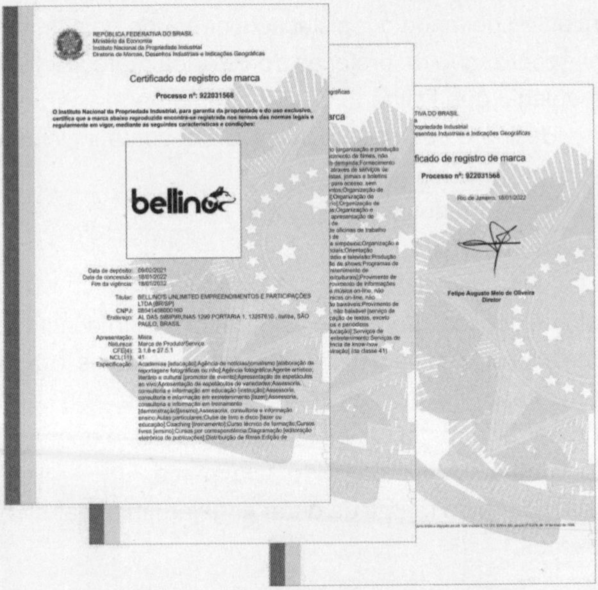

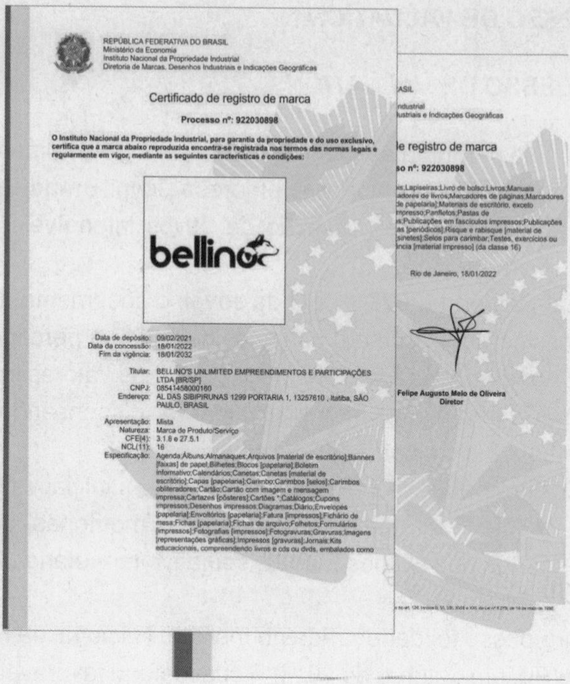

REPÚBLICA FEDERATIVA DO BRASIL
Ministério da Economia
Instituto Nacional da Propriedade Industrial
Diretoria de Marcas, Desenhos Industriais e Indicações Geográficas

Certificado de registro de marca

Processo nº: 922030898

O Instituto Nacional da Propriedade Industrial, para garantia da propriedade e do uso exclusivo, certifica que a marca abaixo reproduzida encontra-se registrada nos termos das normas legais e regularmente em vigor, mediante as seguintes características e condições:

bellino

Data de depósito: 09/02/2021
Data da concessão: 18/01/2022
Fim da vigência: 18/01/2032

Titular: BELLINO'S UNLIMITED EMPREENDIMENTOS E PARTICIPAÇÕES LTDA [BR/SP]
CNPJ: 08541458000160
Endereço: AL DAS SIBIPIRUNAS 1299 PORTARIA 1, 13257610 , Itatiba, SÃO PAULO, BRASIL

Apresentação: Mista
Natureza: Marca de Produto/Serviço
CFE(4): 3.1.8 e 27.5.1
NCL(11): 16
Especificação: Agenda;Álbuns;Almanaques;Arquivos [material de escritório];Banners [faixas] de papel;Bilhetes;Blocos [papelaria];Boletim informativo;Calendários;Canetas;Canetas [material de escritório];Capas [papelaria];Carimbo;Carimbos [selos];Carimbos obliteradores;Cartão;Cartão com imagem e mensagem impressa;Cartazes [pôsteres];Cartões *;Catálogos;Cupons impressos;Desenhos impressos;Diagramas;Diário;Envelopes [papelaria];Envoltórios [papelaria];Fatura [impressos];Fichário de mesa;Fichas [papelaria];Fichas de arquivo;Folhetos;Formulários [impressos];Fotografias [impressos];Fotogravuras;Gravuras;Imagens [representações gráficas];Impressos [gravuras];Jornais;Kits educacionais, compreendendo livros e cds ou dvds, embalados como

Rio de Janeiro, 18/01/2022

Felipe Augusto Melo de Oliveira
Diretor

Esse registro se torna um elemento essencial para a projeção de *valuation,* pois dá ao seu titular o direito de uso exclusivo e sua exploração comercial, respeitando a legislação vigente no país, sem o que não seria viável a realização da projeção do valor da marca Bellino.

A metodologia que Dalberto (2022) adotou para a percepção de valor da marca Bellino e sua projeção, levou em conta indicadores e referências como:

- Valores aportados aos negócios;
- Registro no IPNI;
- Valor, hora investido pelos CEOs e sócios;
- Valores públicos de negócios gerados direto e indiretamente;
- Presença digital dos Sócios, CEOs e Fundadores, ligados a marca;
- Presença digital da marca;
- Presença na mídia e meios de comunicação da marca;
- Movimento social promovido pela marca;
- Capacidade da marca de gerar engajamento e atrair atenção de pessoas;

- Seguidores e Lista de Email;
- Branding adotado pela marca;
- Capacidade de atrair investidores;
- Percepção visual e analítica de todos os elementos apresentados.

Somado a esses itens, considerou-se, ainda, para o *valuation*, segundo o CEO,

- Capital intelectual, dedicação pessoal e valor hora;
- Notoriedade, branding, posicionamento no mercado nacional;
- Notoriedade no âmbito de relações internacionais;
- Credibilidade, capacidade de execução e realização de negócios milionários e multimilionários;

6 RESULTADO

Com base em todas essas informações, a projeção de *valuation* e percepção de valor de marca de Bellino foi estimada em R$ 78 milhões1, podendo, em breve, alcançar os R$100 milhões.

De posse do laudo que chancelou o *valuation* da marca, Ricardo Bellino decidiu integralizar o valor de **R$ 78 milhões*** ao patrimônio de sua empresa, a Bellino´s Unlimited Empreendimentos e Participações LTDA. Segundo matéria da PEOPLE2BIZ – PESSOAS E NEGÓCIOS (2022), após resolvida toda a parte burocrática, Ricardo Bellino decidiu dar uma maior visibilidade e liquidez à marca.

Fez a abertura de capital pessoal, o IPO** – *Initial Public Offering* da sua marca na *Human* IPO, um *marketplace* que transaciona o tempo de profissionais, este abre seu próprio IPO vendendo até 500 horas do seu tempo e definindo um valor para cada hora. Feito isso, investidores podem comprar e vender ações, ou seja, cada hora representa uma ação. Essas ações "humanas" se comportam exatamente como as ações que estão na bolsa de valores, subindo e descendo, aqueles que detém as ações podem resgatá-las, por exemplo em reuniões individuais.

*. Aviso Legal, as informações e projeções monetárias nesse documento, são estimativas equiparadas a negócios que a marca Bellino está diretamente envolvida, ou seja, recomendamos revisão desta projeção a cada 6 meses, ou a partir de novos fatos ou resultados relevantes para a referida avaliação de percepção de valor.

**. IPO é a sigla em inglês para Initial Public Offering que, traduzido para português, significa Oferta Pública Inicial e diz respeito ao evento que acontece quando uma empresa decide abrir capital e distribuir suas ações na Bolsa de Valores pela primeira vez.

Bellino criou também sua própria *Wallet* (carteira) na *Chiefs Group*, a primeira plataforma de "*Open Talent Economy*" da América Latina baseada em blockchain, o que permite que executivos *C-level* e empreendedores convertam suas horas em *tokens*.

CONSIDERAÇÕES FINAIS

O *personal branding* ou gestão da marca pessoal tornou-se cada vez mais essencial, nos últimos anos, para profissionais de todas as idades e todas as áreas, sejam eles entrantes ou já atuantes no mercado de trabalho.

Possuir uma marca pessoal é trabalhar o maior ativo que se tem, que engloba valores, crenças, posicionamento claro, reputação, mostrando a consistência as qualidades e atributos mais importantes dessa marca pessoal para o mercado.

Deve-se trabalhá-la de forma consistente, tendo em vista que não é simplesmente o que se diz que ela é, mas, sim, como os públicos de interesse e *stakeholders* a percebem. Ser consistente em todos as formas de contato – online e off-line – evidencia uma marca pessoal sólida, coerente e de credibilidade, que se destaca de seus concorrentes, gera desejo e alcança resultados.

Pretende-se que este estudo de caso conscientize os profissionais da importância primeira de se fazer a gestão da própria marca pessoal, solidificando, a cada dia, sua reputação. Em segundo plano se coloca a real viabilidade de mensuração de um intangível baseado em uma metodologia; em terceiro, o poder que ela possui quando bem gerida de alavancar bons negócios; em quarto, a validação de que a marca pessoal precede uma marca corporativa, pois pessoas se relacionam com pessoas antes de se relacionarem efetivamente com as marcas corporativas; em quinto, por fim, que esse ativo o qual pôde ter seu *valuation* mensurado, também poderá ter seu montante integralizado ao balanço patrimonial da própria empresa, como ocorreu com o empresário Ricardo Bellino.

REFERÊNCIAS

AAKER, D. A. On **Branding**: 20 princípios que decidem o sucesso das marcas. Edição Kindle. Porto Alegre: Bookman, 2015.

AAKER, D. A. **Construindo marcas fortes**. Porto Alegre. Bookman, 2007.

ALLAN, L. C. Ricardo Bellino: A minha marca precede a minha empresa. 7 de junho de 2022. Disponível em: https://www.linkedin.com/pulse/ricardo-bellino-minha-marca-precede-empresa-luis-claudio-allan/?trackingId=-F54KU%2B%2F3TbORaejJKeOgcw%3D%3D. Acesso em: 20 jun. 2022.

DALBERTO, A. **Projeção Valuation Marca Bellino**. Rio Grande do Sul, Brasil. 2022

EMPREENDA REVISTA. **O poder da marca Bellino S/A**. Janeiro de 2022. Disponível em: https://empreendarevista.com.br. Acesso em: 25 jun. 2022.

HERINGER, V. **Ricardo Bellino, o mentor que vale mais de 100 mil**. Revista Exame, 1/10/2020. Disponível em: https://exame.com/academy/ricardo-bellino-o-mentor-que-vale-mais-de-100-mil/. Acesso em: 27 jun. 2022.

KELLER, K. L. Conceptualizing, measuring, and managing customer-based brand equity. **Journal of Marketing**, v. 57, n. 1, p. 1-22, jan. 1993.

KHEDHER, M. A Brand for Everyone: Guidelines for personal brand managing. **Journal of Global Business Issues**, v. 9, n. 1, p. 19-27, 2015.

LEIVA ALARCÓN, J.; PÉREZ CAMPOS, D. Importancia del plan estratégico de comunicaciones en la gestión del posicionamiento de la marca y la reputación corporativa. **Revista Avenir**, 6(1), 105-121. Colombia. 2022. Disponível em: https://www.fundacionavenir.net/revista/index.php/avenir/article/view/132. Acesso em: 28 jun. 2022.

MATSCHKE, M. J.; BRÖSEL, G.; MATSCHKE, X. Fundamentos da avaliação functional de negócios. **Journal of Business Valuation and Economic Loss Analysis**, Vol. 5, Article 7. Berkeley Electronic Press, 2010. Disponível em: http://www.bepress.com/jbvela/vol5/iss1/art7.

MONTOYA, P; VANDEHEY, T. **A marca chamada você**. Crie uma Marca Pessoal de destaque e expanda seus negócios. São Paulo: DVS, 2010.

PETERS, T. **Brand Called You**, 31/8/1997. Disponível em: https://www.fastcompany.com/28905/brand-called-you. Acesso em: 26 jun. 2022.

SAWICKI, D. P.; STORI, A. T. Reflexões sobre o marketing e marca pessoal no contexto profissional. **Brazilian Journal of Business**, Curitiba, v. 3, n. 3, p. 2099-2108, 2021. Disponível em: https://www.brazilianjournals.com/index.php/BJB/article/viewFile/33170/27316. Acesso em: 27 jun. 2022.

SILVA, D. P. **O Impacto do Personal Branding na Reputação Pessoal**. Dissertação (Mestrado em Publicidade e Marketing), Escola Superior de Comunicação Social, Instituto Politécnico de Lisboa, Lisboa, 2016.

SHARIQ, M. A Study of Brand Equity Formation in the Fast Moving Consumer Goods Category Jindal. **Journal of Business Research** 8(1) 36–50, 2019 O.P. Jindal Global University SAGE Publication.

TOMIYA, E. **Gestão do valor da marca**: como criar e gerenciar marcas valiosas. 2. ed. rev. e atual. Rio de Janeiro: Ed. Senac Rio, 2010.

VILLAFAÑE, J. **La buena reputación**. Claves del valor intangible de las empresas. Madrid: Editorial Pirâmide, 2004.

WORLD ECONOMIC FORUM. The Future of Jobs Report 2020. Disponível em: https://www.weforum.org/reports/the-future-of-jobs-report-2020/digest. Acesso em: 23 jun. 2022.

ZINKO, R. et al. Toward a Theory of Reputation in Organizations. **Research in Personnel and Human Resources Management**, 26(07), 2007. p. 163-204.

Quer começar a construir a sua marca pessoal de sucesso?

Eu indicaria primeiro que você passe pela assessoria em *Personal Branding* e por uma avaliação de perfil comportamental, assim terá subsídio para trabalhar sua marca pessoal, mas, para que possa dar o *start* nessa construção, no final deste livro vamos deixar um *workbook* para ajudá-lo a trilhar esse caminho.

11

PROJEÇÃO VALIOSA*

* Adaptado de matéria publicada na *Revista Exame* em 30 de dezembro de 2021, assinada por Carol Paiffer. Carol é presidente e diretora da área de Investimentos da Atom Participações S.A., que trabalha no relacionamento com os investidores, e é fundadora da empresa, que tem seu foco voltado a traders do mercado financeiro. Além disso, é uma das investidoras do programa *Shark Tank Brasil* e recentemente anunciou ao mercado sua participação na *DealMaker Academy*, juntamente comigo.

QUANTO VALE A SUA MARCA PESSOAL?

Não é por acaso que as grandes empresas lançam em seus balanços patrimoniais as suas próprias marcas como ativos intangíveis. Apenas para se ter uma ideia do potencial que isso representa, Walt Disney, que é uma organização fascinante e complexa, tem em seu balanço patrimonial mais de US$ 100 bilhões em ativos intangíveis.

Carol Paiffer, à frente da Atom S.A., diz ter ficado surpresa ao receber o relatório com a projeção de *valuation* da minha marca. Não foi à toa que recentemente nós anunciamos a criação da *DealMaker Academy*, pois pretendemos nos tornar a maior escola de negociação e *dealmaking* do mundo! Eu quero estar próximo à Carol por sua competência e pelo diferencial que ela tem a oferecer, e tenho certeza de que ela também quer estar próxima a mim por razões bastante semelhantes.

A fim de que se possa compreender o valor que uma reputação construída ao longo dos últimos trintas anos pode alcançar, ela fez um resumo, parcial, evidentemente, do conteúdo do relatório. Quando publicou, ela destacou que aquele era o relatório valorativo de alguém que começou a empreender como *courier* da DHL (uma espécie de carteiro internacional) e ficou conhecido por suas famosas "sopas de pedra". Como não sabia que era impossível, Bellino foi lá e fez, mais de uma vez, os seus sonhos se tornarem realidade.

A ideia da "Sopa de Pedra" aparece na capa do meu livro *Sopa de Pedra: 10 ingredientes para você criar sua receita de sucesso*, no qual falo sobre a somatória de pedras de cada pessoa para formarmos uma sopa, com ingredientes, capacidades, potencialidades, virtudes, talentos, enfim, é na união dos esforços que nós vamos mais longe. Nós construímos uma fortaleza, mas precisamos nos unir e nos ajudar para ajudar mais pessoas, isto é, sermos generosos, alimentando-as com capacitação e orientação competente.

Assim, Carol apontou em sua matéria os cinco pontos a seguir:

- » Os negócios diretamente ligados a mim e às minhas marcas;
- » Capital intelectual, dedicação pessoal e valor hora;
- » Notoriedade, *branding*, posicionamento no mercado nacional;
- » Notoriedade no âmbito de relações internacionais;
- » Minha credibilidade, capacidade de execução e realização de negócios milionários e multimilionários.

A marca BELLINO está presente hoje em diferentes produtos que se somam para formar um universo virtual, notório e eficiente de inovação disruptiva, aceleração de pessoas (título de um de meus livros) e criação de negócios exponenciais e multimilionários. Eu consegui associar o meu nome a pessoas como John Casablancas e Donald Trump, tendo sido sócio de ambos e fundador da Holding de Empreendimentos e Participações, a *Bellino's Unlimited,* fundador da *Elite Models Brasil* com Casablancas. E por estar diretamente ligado a iniciativas que movimentam negócios bilionários.

Somadas as iniciativas de sucesso das quais participei e que desenvolvo, o meu nome tem ultrapassado os limites de uma marca pessoal de tal modo que ter um projeto ou investimento com a minha participação já traz uma percepção de valor acima de 7 dígitos, como a Carol demostrou em sua projeção de *valuation.*

Ela considerou a realidade da minha marca como estando diretamente ligada a grandes operações comerciais, empresas, fundos de investimentos, bem como na liderança de iniciativas de negócios e de ações empreendedoras que têm causado alto impacto na economia brasileira.

O *valuation* apresentado pelo relatório considerou como principal indicador para o seu alto índice a *percepção pública,* como disse, do impacto monetário gerado pelos projetos, e esses são os cinco fatores elencados pela Carol. Em outras palavras, os valores investidos ou gerados nos quais a minha marca tem alguma participação são amplamente divulgados, notórios e dispensariam questionamento quanto à veracidade das informações – o que remete à reputação da qual falamos anteriormente.

Somados os negócios, na ocasião em que a Carol publicou a sua matéria, a Marca BELLINO estava diretamente ligada a mais de trinta projetos e iniciativas. Ela considerou apenas os cinco indicadores e, somando os valores projetados apenas nesse grupo, chegou-se a um ativo monetário superior a 1 bilhão e 200 mil reais!

Se considerar todas as iniciativas, mentorias, consultorias, eventos realizados nos últimos três anos, teríamos um ativo monetário ultrapassando o valor de R$ 2 bilhões, no qual a minha marca teve participação direta.

No relatório, a metodologia adotada para a projeção e percepção de valor da marca considerou diferentes indicadores e referências, como valores aportados ao negócio, presença digital, desejo pela marca, entre outros. E, assim, a projeção de *valuation* e percepção de valor da minha marca foi estimada em R$ 78 milhões.*

Para reforçar o valor que tem uma reputação e a confiança que a minha marca gera, leia no final deste livro o Apêndice "O que Dizem do Bellino".

---

* Aviso Legal: as informações e projeções monetárias apresentadas através dessa metodologia de *valuation* não se trata de promessa, certeza ou garantia absoluta, pois os valores estimados podem variar de forma significativa para mais ou para menos.

12

UMA MARCA PESSOAL SE TORNA ESTUDO DE CASO NA MUST UNIVERSITY

A MUST University realizou um estudo de caso sobre a minha trajetória. Eu adaptei e transcrevi esse estudo na íntegra, e o reproduzo nas próximas páginas, porque ele sintetiza eloquentemente as oito fases do meu programa "Escola da Vida" para a aceleração de pessoas.

A parceria que nós fizemos com a Universidade foi muito elogiada pelo prefeito da cidade de Miami, o Sr. Francis Suarez, em carta enviada a mim e ao Professor António Carbonari, presidente e CEO da Universidade, no começo de 2022.

Vamos a ele!

INTRODUÇÃO

Eu costumo usar uma frase atribuída ao poeta Jean Cocteau, que impacta muito ao mesmo tempo que convida à reflexão: "Como não sabia que era impossível, fui lá e fiz". Essa postura, positivamente agressiva, foi capaz de transformar a maneira como eu passei a ver a possibilidade de realizar grandes negócios e me tornar um dos mais bem-sucedidos empresários do país, colocando-o entre os mais badalados do mundo do empreendedorismo.

Eu descobri uma pequena comuna medieval, escondida nas montanhas do Norte da Itália. Encantado com o clima e tudo o que envolve aquele lugar, resolvi sediar ali, entre igrejas de pedra erguidas sobre antigas ruínas celtas, o que chamei de "Escola da Vida". A "Escola da Vida" é um programa de imersão multidisciplinar que busca despertar nas pessoas o mais alto potencial de realização, tanto na esfera profissional quanto na dimensão pessoal. Detalhe: a cidade leva o meu nome!

Em abril de 2017, eu tirei as minhas ideias do papel e materializei o projeto em que vinha trabalhando. Assim, eu conduzi cerca de 50 participantes na primeira mentoria realizada durante o período de oito dias entre os picos nevados que separam Itália e França.

Eu formei uma equipe que, sem exagero, alterou radicalmente a rotina dos menos de 150 moradores daquele vilarejo. Isso mesmo: menos de 150 habitantes! Eu reuni profissionais das mais variadas áreas, como médicos, empresários, professores, artistas, advogados etc. Todos tinham pelo menos um objetivo em comum: empreender.

O conceito de empreendedorismo desenvolvido por mim e colocado em prática no vilarejo Bellino, a comuna, claramente ultrapassa o que normalmente se imagina sobre o tema. Na "Escola da Vida", para início de conversa, o professor não ensina lições prontas que servirão para todos. A minha proposta é fazer com que o indivíduo aprenda por si mesmo, cabendo a mim e à minha equipe tão somente indicar os caminhos e acompanhar o peregrino na travessia – algo como mentorear aquelas pessoas.

Bem, eu estou seguro de ter experiência suficiente para isso. A minha trajetória atesta e as minhas iniciativas mais ousadas também. Aos 21 anos de idade, sem praticamente nenhum dinheiro no bolso e sem falar uma só palavra em inglês, fui capaz de trazer para o Brasil uma das maiores agências de modelos do mundo. É sabido que em apenas três minutos eu consegui convencer o milionário Donald Trump a investir em meu projeto e por mais de 35 anos tenho colecionado iniciativas vencedoras.

Dizem que eu pareço ter somado todas essas vivências e hoje encarno o típico papel do mentor, alguém cuja capacidade de resiliência e adaptação às novas realidades me habilita a uma dupla missão: ajudar a construir projetos de sucesso, assim como desconstruir ideias que aparentemente são boas, mas que, sob um olhar mais apurado, se revelam fortes candidatas ao fracasso.

Mas fato é que grande parte dos candidatos que se matricularam no curso de seis meses que compõe a grade da "Escola da Vida" e que pagaram algo em torno de US$ 20 mil vê em mim o exemplo ideal do empreendedor de sucesso e quer assimilar mais da minha experiência de sucesso. Eles querem estar junto, compartilhar suas vivências e ouvir as minhas, receber conselhos e dicas que possam ser dadas e, quem sabe, até se tornar meus sócios em algum projeto de destaque que possa surgir – e isso não foi descartado!

Foi exatamente essa dinâmica que caracterizou a aula inaugural dos oito dias do programa, realizado na incrível *Comune di Bellino*. Entre palestras, vivências, estudos e o não menos valioso tempo destinado ao ócio criativo, o grupo fez um mergulho em diversos aspectos do empreendedorismo, ao mesmo tempo que fez uma profunda avaliação de suas rotinas e práticas, de seus conceitos e de si mesmo através da imersão em um universo mágico ou, no mínimo, intrigante. *Comune di Bellino* é um patrimônio de grande valor histórico e simbólico, e está repleta de antiquíssimos relógios solares pintados nas fachadas de pedra e cercada de uma natureza tão exuberante quanto fria e exótica.

UMA EFICAZ METODOLOGIA

Um dos pontos destacados na "Escola da Vida" é ressaltar a importância que há em parar um pouco antes de dar o passo decisivo. Eu considero essa uma maneira inteligente de ampliar a visão e, assim, poder estabelecer estratégias mais eficientes. E ela é vivenciada durante a imersão que antecede o embarque para a Itália.

Algo similar é feito no Brasil, por mim também. Como não poderia ser diferente, a experiência que proporciono aos "meus alunos" também foge aos padrões comumente vistos em programas dessa natureza. Com o sugestivo título de "Zenpreendedorismo", eu também promovo um retiro criativo e proativo no mais antigo Mosteiro Zen budista da América Latina, localizado entre as montanhas da Mata Atlântica do Espírito Santo, na região sudeste do Brasil.

Durante três dias, o grupo participa de palestras e vivências, e se mistura aos monges num interessante processo de adaptação à rotina monástica, tudo sob a minha mentoria e com o competente suporte de uma equipe que seleciono a dedo, por estar pronta para entregar conteúdos de qualidade e direcionar os projetos trazidos pelos candidatos. Ali eles recebem as primeiras sementes, e alguns dias depois elas poderão germinar mais fortes durante a estadia na Itália. Nada na programação está desconectado. É possível perceber o entrelaçamento de cada atividade na busca pela construção de um conjunto de experiências e de aprendizagens que, mais adiante, se concretizarão e darão sentido aos projetos.

Aplicando essa nova metodologia, minha equipe e eu temos sido capazes de impulsionar novas ideias e projetos com as pessoas que participam conosco. Mas o mais importante disso tudo tem sido impulsionar pessoas em sua vida como empreendedores. Na medida em que incentivamos e disponibilizamos a eles experiências capazes de transformar suas vidas e incrementar suas cabeças com novas ideias e projetos, a "Escola da Vida" tem se distanciado do empreendedorismo meramente material e frio, construindo e consolidando um novo conceito de desenvolvimento integral das potencialidades pessoais, sem com isso cair no lugar-comum da autoajuda ou da busca prioritária ilusória pelo ter egoísta e pela conquista fácil.

Nessa escola sem paredes, onde ser alguém parece ser mais importante do que ter algo – o que de fato é a minha convicção –, a estrada para o sucesso é construída com bases realmente sólidas, capacitando o aluno para possíveis e necessárias mudanças de rota, sem que com isso ele perca o rumo da viagem. No Mosteiro, a inspiração, nas montanhas da Itália, a expiração. Nesse movimento sincronizado, o empreendedorismo mundial respira novos ares.

MAS O QUE SIGNIFICA, REALMENTE, "ACELERAR PESSOAS"?

O mundo em que vivemos já não está suficientemente acelerado? Será que as pessoas não precisam pôr o pé no freio, em vez de acelerar?

Não é possível dar apenas uma resposta para perguntas tão fundamentais. As respostas à pergunta "o que significa acelerar pessoas?" apontam para uma combinação de tudo. O problema que vejo não é simplesmente acelerar, para depois se gabar de ter feito isso. O problema é acelerar sem direção, como em uma montanha-russa, que leva o carrinho cheio de pessoas do nada a lugar nenhum. O problema também é acelerar quando é hora de parar, e depois ter de parar quando chega a hora de acelerar.

Observo à minha volta pessoas se queixando constantemente de uma sensação de frustração constante. Elas se queixam de não conseguirem tirar os seus sonhos do papel, ou de os terem deixado para trás, perdidos em alguma curva do caminho. Porém, como disse a especialista na ciência da felicidade, a *Chief Happiness Officer* e Fundadora do Instituto Happiness do Brasil, Sandra Teschner, "se a felicidade representa o principal objetivo do esforço humano, a frustração é a sua antítese". O nosso verbo frustrar vem do latim, e significa "fazer algo em vão". Os pesquisadores que se dedicam ao assunto chegaram à mesma conclusão.

Segundo a ciência, a frustração é a sensação que uma pessoa tem quando age continuamente tendo uma expectativa em mente, em geral à espera de obter algum tipo de gratificação ou um resultado desejado, e que normalmente está fora da realidade. Nesses casos, a frustração acontece quando simplesmente não se alcança aquilo que se quer. Para investigar o que acontece no cérebro humano quando uma pessoa é submetida à sensação de frustração, cientistas recorreram a exames de neuroimagem. Eles descobriram que a frustração provoca mudanças na atividade cerebral nas mesmas estruturas afetadas quando passamos por uma crise aguda de estresse.

Após um evento em que houve frustração, a nossa resposta emocional é o *stress,* a irritação, a tristeza, a raiva e a agressividade. Essas sensações, quando combinadas em diferentes proporções, constituem o que chamamos de frustração – ou, em outras palavras, é o oposto da felicidade que querem alcançar.

Não seria exagero dizer que há hoje, além da epidemia de coronavírus, uma "epidemia de frustração" mundo fora. Elas são causadas pelas crises econômicas, políticas, financeiras e morais, e servem de combustível para as "nossas frustrações" cotidianas. No entanto, se há algo que aprendi no decorrer da minha jornada é que, para se chegar ao sucesso – e sucesso, aqui, significa alcançar aquilo que se quer na vida –, é preciso aprender a superar a frustração, e a frustração nada mais é do que o maior de todos os "desaceleradores" de pessoas que conheço.

Você até pode achar que está acelerando, que a sua rotina se resume a correr sem parar num frenesi maluco, pilhado de um lado para o outro, para cima e para baixo. Contudo, se toda essa correria não o está levando aonde você quer chegar, para o seu objetivo de vida, então, de verdade, você não está acelerando a sua vida – está apenas se frustrando cada vez mais em ritmo acelerado.

Na raiz da frustração está a sensação de impotência, de não termos o controle ou o poder para superar ou remover aquelas barreiras que nos separam dos nossos melhores e maiores objetivos.

O trabalho para reverter esse quadro começará de dentro para fora. Trata-se, antes de tudo, de recuperar o controle e a alegria de viver, o foco e a energia, o senso de direção e o poder de nos conectarmos aos nossos semelhantes, o poder de investir naquilo que acreditamos e de irmos do sonho à realização dos nossos projetos. Trata-se de saber como empreender de um modo eficiente e produtivo, como superar e, apesar dos obstáculos, como desfrutar do percurso com o prazer que ele pode proporcionar e realizar a entrega de quem descobriu – ou redescobriu – a própria identidade, ou seja, quem é e o que quer nesta incrível jornada que chamamos de vida.

Foi assim que, a partir de uma reflexão sobre o que significa ser um "acelerador de pessoas", cheguei à seguinte conclusão. *Acelerar* pessoas é colocar a minha experiência e a minha história de vida a serviço daqueles que querem trocar o verbo frustrar pelo verbo realizar – e querem fazer isso rápido, muito rápido!

Com esses pensamentos em mente, dei início a uma pesquisa. Depois de um tempo, cheguei a resultados que confirmavam o que a minha experiência já dizia. Acelerar é um processo para se percorrer uma rota definida, uma vez que traçar o percurso é a condição essencial para que se possa aumentar a velocidade com segurança, visto que se têm a direção a seguir e os pontos a serem percorridos.

Para facilitar essa jornada, eu criei um acróstico constituído por oito fases, que cobrem cada uma das etapas necessárias a quem quer chegar ao sucesso no empreendedorismo e com maior velocidade sem perder a segurança. Esse acróstico foi feito com a própria palavra ACELERAR. Assim, temos:

Fase 1 – A, de Acreditar

O ponto de partida de todo empreendedor é ter um sonho ou projeto e *acreditar* que é possível torná-lo real ou concreto. Isso significa acreditar. E por que isso é tão poderoso? Como é que a crença se distingue de um simples pensamento mágico?

E quanto às crenças que atrapalham as suas ações, como livrar-se delas? Que crenças alimentam você na realização de seus sonhos e projetos? Qual é o combustível que o move? Qual acredita que seja o destino de sua jornada? Como conectar-se novamente a esse destino caso tenha se desligado dele?

Essas respostas nós encontramos na próxima fase.

Fase 2 – C, de Conectar

Nesta fase é possível ver qual é a base dos bons relacionamentos e como reunir as pessoas certas para que você comece a acelerar o seu sonho ou projeto. Nela se aprende a criar um *mastermind* realmente poderoso, que, segundo Napoleon Hill, significa "a coordenação de conhecimento e esforço de duas ou mais pessoas, que trabalham em direção a um propósito definido, em espírito de harmonia".

Napoleon Hill elaborou as 17 leis do triunfo. Como o Jamil Albuquerque do Instituto Napoleon Hill nos ensina, a palavra lei quer dizer segurança, porque ela comporta em si dois vetores, a liberdade e o limite, gerando segurança dentro desse escopo. Há duas leis que são as leis cardeais, e elas são: 1. ter um propósito e 2. ter a mente maestra, que é o *mastermind*. O *mastermind* é universal. *Mastermind* é a mente maestra, a mente vivendo em harmonia.

Outra riqueza que o Jamil nos ensina, sabendo que há em cultura brasileira muitos cristãos e pessoas que estudam a Bíblia Sagrada e a tradição judaica, é que há duas formas de se referir ao *Mastermind* dentro desse contexto. Fala-se, na tradição judaica da *cabalah*, da *shekinah*, a nuvem da glória de Deus, a nuvem divina que entrava no templo ou no Tabernáculo. *Shekinah* foi traduzido como nuvem divina e indica o lugar onde Deus viu o homem, onde se encontrou com o homem dentro do recinto sagrado.

Também tem a egrégora, o nome dado à força vital, a força da terra, força telúrica e a força do universo, a força cósmica, quando se encontram no mesmo lugar. O *mastermind*, portanto, é quando as pessoas e os objetivos se encontram no mesmo lugar.

Fase 3 – E, de Escolher ou Educar

Ao resgatar sonhos, rever crenças e conectar-se com pessoas, muitas ideias, alternativas e possibilidades começarão a surgir. Que caminho seguir quando isso acontecer? Para onde direcionar os seus esforços e a energia vital recém-conquistada, canalizando-os para o seu melhor aproveitamento e resultados? Este é um momento crucial da jornada, pois uma escolha equivocada ou ilusória poderá levá-lo de volta ao estado de frustração. Para distinguir um verdadeiro chamado de um "canto de sereia", precisamos nos educar, o que envolverá a aquisição de informação, a interpretação de dados, o autoconhecimento e o preparo de alto nível.

Por isso falei há pouco sobre expectativa *versus* realidade. Muitas pessoas se frustram porque não conseguem elaborar projetos realistas, que tenham conexão com a realidade do contexto em que estão vivendo. Quando se pensa em empreender, é preciso partir de uma base sólida realista, ter pesquisa atual e com números precisos, e saber interpretar os dados – o que tem sido a falha de muitos empreendedores. Quando o Brasil atravessava um período de hiperinflação, chegando à casa dos três dígitos, o Jornal Nacional abria com o locutor dizendo algo como: "Neste mês a caderneta de poupança pagará 45% de rendimentos". A pessoa leiga, a pessoa sem experiência na interpretação de dados, exultava, ficava feliz porque conseguia guardar um pouquinho do seu salário naquele tipo de aplicação. Mas o fato é que faltava a ela subsídios para interpretar os dados, e ela pensava estar "ganhando" 45% de rendimento, quando, na verdade, uma inflação mensal de 80% ou 90% levavam dela o dobro do que aparentemente estava "ganhando". Com isso, a informação, isto é, o dado concreto era transmitido em estado puro, o Governo tinha a sua imagem de incompetente "amenizada", a emissora dava uma ajudazinha ao Governo e o pobre do brasileiro era enganado mais uma vez.

A realidade sobre a relação entre a expectativa e a realidade é tão universal que também vale para outras áreas da sua vida, como expectativas irreais sobre as pessoas (amizades), expectativas irreais sobre relacionamentos (namoro e casamento), expectativas irreais sobre a fé (frustrações com a religião) e assim por diante.

Fase 4 – L, de Libertar-se

Pensar fora da caixa, livrar-se de tudo aquilo que pode estar limitando você, buscar o novo, ousar – é disso que tratamos aqui. Para acelerar o seu projeto a ponto de alcançar a esfera dos grandes empreendedores, é necessário cortar amarras, libertar-se do que o prende. Nesta fase 4 é possível ver como acelerar o seu negócio ou a sua carreira (caso seja um intraempreendedor) – seja qual for o ponto em que estiver.

É bastante comum as pessoas terem um espírito empreendedor e criativo, mas estarem presas a crenças limitantes. No Brasil, não é difícil encontrar pessoas que se guiam por jargões, por frases prontas e frases de efeito e, pior, por falsas crenças. Desde a infância, em nossa família ou durante o período escolar e universitário, somos bombardeados por "verdades" que jamais existiram e que não se traduzem em algo concreto, em que se pode apoiar a construção de um empreendimento que se sustente. Até mesmo Jesus disse que a casa edificada sobre a areia cairia quando soprasse um vento mais forte ou caísse a primeira chuva. Ou seja, se você quer construir algo perene, que venha para ficar, duvide das facilidades, questione, investigue, confira, saia do raio de ação das facilidades, do dinheiro e sucesso fáceis, pois a biografia dos grandes nomes do empreendedorismo mundial está aí para desmistificar a falácia de que pensar como a maioria pensa, fazer as mesmas coisas como sempre foram feitas e esperar que as coisas melhorem e aconteçam sem que você parta para cima fará de você um empreendedor bem-sucedido.

Fase 5 – E, de Expandir

Depois de se libertar das amarras de pensamentos e crenças limitantes, chega o momento de se expandir, de ampliar horizontes, de se permitir voos mais altos para poder acelerar cada vez mais. A essa altura é que podemos falar de estratégia, de planejamento e de visão: que futuro se quer construir e para quê, ou seja, para qual finalidade? De que recursos precisa e como obtê-los rapidamente? E o que precisa desenvolver para ser a pessoa que quer ser?

Cláudio Tomanini, professor e palestrante na área de gestão de vendas, defende que em nosso tempo, na era da Quinta Revolução Industrial, "é preciso nos concentrarmos em um novo e duplo conceito" que regerá as relações corporativas e regerá o crescimento de profissionais e equipes de ponta. Ele chama esse novo conceito de "*High Tech* e *High Touch*, onde se deve agregar estratégias que reúnam o humano e o tecnológico a fim de criarmos experiências inesquecíveis para o nosso cliente (B2B) e para o consumidor final (B2C)". E quando eu falo que para expandir-se é preciso estratégia, planejamento e visão, uma metáfora usada por ele pode ser muito útil. Tomanini usa a decolagem de uma aeronave para exemplificar esta fase 5 da expansão, em que o avião é a tecnologia utilizada, o piloto e a tripulação são o pessoal ou a equipe e o plano de voo são as estratégias, e tudo precisa cooperar para se chegar ao destino pretendido, que são os seus objetivos ao empreender, além de chegar com segurança, o que será garantido quando se segue princípios e valores.

Fase 6 – R, de Restaurar

Na fase 6, quando tratamos de restaurar, é o momento de aprender um segredo essencial da aceleração, que poucas pessoas se dão conta ou sequer imaginam fazer parte do processo de aceleração: a pausa. Se em uma viagem de carro é preciso parar num posto de combustíveis para abastecer – e se até mesmo em uma corrida de Fórmula 1 isso é necessário –, na sua jornada pessoal as coisas não são diferentes. O risco de acelerar sem parar, descontroladamente, imaginando que com isso se tornará o campeão dos campeões, é fatal. Essa falsa crença leva a pessoa a esgotar suas energias e, geralmente, quando mais precisar delas é que sentiremos na pele a falta de planejamento e das pausas na aceleração. Nesta fase falamos do *stress* e do *burnout*, efeitos dos mais comuns no mundo corporativo nos últimos anos, e vemos modos de evitá-los, para que a renovação das energias aconteça naturalmente e se possa prosseguir com mais prazer, disposição e, por que não, com mais felicidade, que é elemento essencial do sucesso, na minha opinião. O professor Tal Ben-Sharar, cujo curso sobre felicidade foi o mais frequentado da história da Universidade de Harvard, tem algumas lições importantes a nos ensinar sobre isso.

Fase 7 – A, de Agir

A ação consciente é voltada para os resultados, persistência, estratégia e autodisciplina – estas são as ferramentas do bom acelerador, ou seja, daquela pessoa que acelera porque sabe muito bem aonde quer chegar. Agir não é simplesmente sair fazendo coisas desordenada e aleatoriamente; não é empenhar-se como um militante, que não reflete sobre suas ações, não racionaliza processos, não se inteira sobre as necessidades prementes nem sobre os objetivos preestabelecidos. Agir, no modo como concebo, é parte de um processo mais amplo no qual reunimos informações sobre o nosso negócio e interpretamos os dados para definir. Nesta fase é que se faz as perguntas certas: O quê? Para quem? Como? Quanto? Onde? e demais perguntas que elucidarão melhor a estratégia a ser implementada de acordo com os objetivos predefinidos e esclarecidos no plano de negócios. A ação deve ser coordenada por essas diretrizes, sem o que todo o esforço e energia, além dos recursos gastos na ação, serão desperdiçados pela irracionalidade da ação.

É nesta fase que começam a distinguir-se os maratonistas de ocasião dos verdadeiros campeões. Força de vontade e automotivação são essenciais aqui. No entanto, o que a experiência nos mostra, a ciência comprova: não estamos falando de características inatas, mas de competências que podem e devem ser desenvolvidas.

Fase 8 – R, de Renascer e Reinventar

Quem pensa que na Fase 8 se chega ao fim, errou. A jornada ainda não chegou ao fim, e talvez nunca chegue. Esta é a nossa grande descoberta no final do que se pode chamar de ciclo, pois o empreendedor é o indivíduo inquieto, que não se contenta com uma realização só, não sossega enquanto o seu empreendimento não estiver crescendo e ele possa ver novas ideias as quais irá empenhar as suas competências e habilidades para que um novo empreendimento surja! O destino que foi traçado no início, na Fase 1, é apenas uma etapa da sua jornada. Novas ideias virão, novas realizações o aguardarão, novas conquistas estarão diante de você, de modo que se acomodar ao sucesso é mais uma receita para a frustração – pense seriamente sobre isso. É preciso saber como se recriar, como reinventar-se ao final do ciclo e, até mesmo, saber como renascer. Porque, quando tudo parecer estar pronto e acabado, isso indicará tão somente que tudo deverá começar novamente, ou renascer. E para isso você precisará se reinventar.

13

AS PESSOAS FRACASSAM NA BOLSA POR FALTA DE ESTUDO

A minha sócia, CEO da Atom S/A e jurada do *Shark Tank Brasil,* fez fortuna como *day trader*. A Carol hoje está liderando uma empresa que funciona como mesa proprietária para outras pessoas operarem na Bolsa de Valores. Para ela, há uma negligência na busca de conhecimento e de treinamento que tem sido a causa de fracasso e derrocada de muitos investidores. E isso vale tanto para o mercado financeiro quanto para o empreendedorismo. A Carol diz que, quando escolhe uma pessoa para ser alvo do seu investimento no programa *Shark Tank,* ela diz que precisa ter nítida percepção de dois aspectos no futuro negócio. Primeiro, se ela poderá dar alguma contribuição e, segundo, se a pessoa que apresenta o negócio é, de fato, apaixonada por aquilo que faz.

HUMILDADE E A IMPORTÂNCIA DOS NÚMEROS

Diferentemente do que muitos novos empreendedores pensam – e agem! –, outra característica essencial na personalidade daquele que empreende e que a Carol destaca como fundamental para os candidatos e serem alvos de algum investimento por anjos ou por outra fonte é a humildade. Nada pior do que o sujeito não ter feito a lição de casa, não ter autossuficiência naquilo que faz – e mesmo que tivesse! – e ainda ser arrogante, prepotente e presunçoso. Nas palavras dela, "a pessoa precisa entender que, de fato, ela precisa evoluir. Muita gente não conhece os próprios números. O problema já começa por aí" – ou seja, se "não conhece os próprios números", deve admitir que está muito aquém do esperado para alguém que espera crescer, se estabelecer e fazer a diferença em algum segmento da nossa economia.

As empresas consolidadas oferecem um risco baixo para os investidores. Já aquelas que estão no começo da vida têm mais riscos, mas dão mais oportunidades para escalar o negócio. Ora, não resta dúvida de que todo investidor está de olho nesse quadro, e que não é com discurso persuasivo, com frases de efeito batidas, que irão convencer alguém a colocar dinheiro num novo produto ou negócio.

FALHA DOS INVESTIDORES NA BOLSA

Mais um indicativo apontado pela Carol como sendo um dos motivos para o fracasso de investidores na Bolsa de Valores é a falta de estudo do cenário e de preparo para começar a analisar o mercado. É preciso considerar que o empreendedor precisa respeitar os estágios do conhecimento e saber se orientar pelo ritmo dos acontecimentos no ambiente em que atua. "A Bolsa de Valores não é um jogo. Um erro clássico que as pessoas cometem é que elas entram lá para ganhar dinheiro da noite para o dia", diz Carol.

14

DAY TRADE: O VILÃO DA BOLSA DE VALORES?

Há diferentes modos de se ganhar dinheiro com investimentos, quer seja na Bolsa de Valores ou em outras modalidades, pois o mercado de capitais no Brasil hoje tem diferentes opções para quem tem aptidão e alguma reserva para ser investida. Atualmente, com a comunicação e a mídia tendo sido radicalmente alteradas pela profusão de vozes que a Internet permitiu serem ouvidas, e mais especificamente nos últimos anos, com a invasão dos *influencers,* muitos investidores entraram nessa modalidade da Bolsa por onda desses gurus que não vivem propriamente desse mercado do qual dizem entender muito.

O resultado de se ouvir pessoas não especialistas – que muitas vezes não vivem daquilo que divulgam ou propalam aos quatro ventos – é que os ouvintes, seguidores ou influenciados acabam por entrar de qualquer jeito em um ou mais investimentos, operando qualquer ativo de que tomam conhecimento, negociando-os a qualquer preço (que nem sempre é o mais atrativo ou justo) e acreditando que terão resultados de uma hora para a outra, da noite para o dia – esse é um erro muito frequente nos iniciantes e que é exaustivamente apontado pelos especialistas. E, na verdade, o mundo dos investimentos não se rege por esses desejos pessoais urgentes, definitivamente não é assim que a coisa funciona!

A Bolsa, como um todo, é um processo, requer estudo, planejamento e execução – principalmente no campo dos *day traders*, que tem boas oportunidades todos os dias. Com o aumento do número de investidores na Bolsa de Valores, não é surpresa que as operações de *day trade* tenham se tornado de "conhecimento" popular, atraindo o surgimento de vários gurus e *influencers*, bem como dados divulgados em notícias falando sobre o *day trade* – de maneira negativa, em sua maioria. É que os operadores de negócios mais convencionais não querem perder o seu filão, de modo que soltam informações incompletas e não tão verdadeiras sobre essa modalidade.

Então, para você que quer se aproximar dessa modalidade e precisa de informações básicas, fundamentais para quem está entrando nisso, quero dar a minha percepção, que não é a de um iniciante, e estou amparado pela experiência que tenho e pelas análises de pessoas ligadas a mim, que são grandes operadores, como é o caso da Carol e do Quim (seu irmão e sócio na Atom), para ficar em apenas dois nomes. Leia atentamente alguns dos pontos importantes sobre esse assunto e observe que as coisas não são como muitos "analistas de oportunidade" estão dizendo, que o *day trade* não é nenhum vilão no mundo do Mercado Financeiro – pelo contrário, ele pode ser altamente lucrativo e dar oportunidades reais de ganho e escalada se você souber como entrar nesse mundo e tiver segurança sobre onde irá colocar os seus pés – e o seu rico dinheirinho.

Antes de tudo, é importante saber que o *day trade* é um tipo de operação na Bolsa de Valores que começa e termina no mesmo dia. Isso mesmo, como o próprio nome diz, é a "transação do dia", numa tradução livre. Ela costuma ser indicada para investidores arrojados que podem ganhar dinheiro com a oscilação do preço dos ativos,* comprando na baixa e vendendo por preço superior ao adquirido, ou o contrário, vendendo caro e recomprando por preço inferior. Parece bem simples, não?

Mas, se é tão simples, por que vemos tantos dados negativos de pessoas perdendo dinheiro com essa modalidade? É por causa da falta de conhecimento, somada a uma gestão de risco inadequada para o perfil do investidor ou o momento em que o negócio é transacionado.

Como destaquei, muitos investidores iniciantes têm optado por essa modalidade por causa do "conselho" de influenciadores ou gurus que não têm uma vivência nesse mercado e, desse modo, não possuem resultados verdadeiros para apresentar. Eles não estabelecem o menor vínculo ou responsabilidade por aqueles que ouvem suas "dicas" e, uma vez que o fazem e perdem dinheiro, não perdem

* No jargão financeiro, um ativo pode ser um valor físico ou não físico. Um ativo físico são as *commodities* (como grãos, soja, petróleo etc.) ou bens imóveis (galpões, unidades residenciais ou comerciais, terrenos etc.). Já um ativo não físico decorre de algum contrato que lhe atribua valor, como um depósito bancário, um título, a participação no capital social de uma empresa, por exemplo. (N. do Prep.)

dinheiro com o prejuízo que causaram. Sendo assim, as pessoas entram de qualquer jeito no mercado financeiro, operando qualquer ativo a qualquer preço em qualquer ocasião, acreditando que terão resultados de uma hora para a outra e ficarão ricas da noite para o dia, possivelmente. Mas não é assim que funciona!

Não acredite nesses milagres financeiros, nessas mágicas, pois elas não existem e não acontecem, não num mundo tão competitivo e que depende de informação, de estudo, de cálculos e de racionalidade. As melhores cabeças do mundo financeiro estudam muito, atualizam-se constantemente, ouvem, leem, adquirem informação, interpretam dados e fazem isso todos os dias. Por isso elas alcançam resultados positivos e desejáveis, mantendo um gerenciamento de risco em cada operação e tendo muita paciência.

Hoje estão disponíveis cursos, treinamentos, simuladores e muita informação quente para quem quer se tornar um operador bem-sucedido, ainda que não seja em nível profissional, avançado. Entrar na Bolsa e operar uma conta real sem que se tenha conhecimento prévio da matéria, sem ter treinado em um simulador e sem ter reunido dados e treinado a interpretação deles é o mesmo que dirigir um carro com pouca segurança, a 100 km/h, em uma pista sinuosa sem cinto de segurança: isso não tem como acabar bem. É acidente na certa!

Então, como fazer para "mandar bem" nas suas operações? O primeiro passo é procurar um mentor financeiro que tenha percorrido o caminho das pedras e que viva daquilo que diz poder ensinar. Não é aconselhável 1) fazer isso por conta própria nem 2) guiar seus negócios somente pela palavra de um *influencer* ou guru que não tenha um relacionamento próximo ou que nem saiba da sua existência.

O segundo passo tem muito a ver com o primeiro: a falta de gestão de risco. A gestão de risco, como diz o economista Augusto Andrea, é um dos "requisitos mais fundamentais que deve ser cumprido antes de você começar a operar". Como o nome diz, sem uma gestão de risco funcional, o investidor estará exposto à possibilidade de perda de todo o seu capital, desnecessária e irresponsavelmente. "Um gerenciamento de risco para *day trade* lhe permitirá *operar com muito mais segurança e tranquilidade,* pois você garantirá que, mesmo que tudo dê errado, você não vai perder tudo", acrescenta.*

Afinal, como se precaver de algo que você não tem ideia de como funciona? É a gestão de risco que o *day trader* faz que indicará os pontos perigosos da operação.

Quando você está dirigindo o seu veículo ou andando pela rua, você tem noção de todas as possibilidades de dirigibilidade, dos caminhos e roteiros a seguir e, com isso, toma as medidas necessárias em cada uma das situações: usa o cinto de segurança, usa a seta, olha para os dois lados da rua, utiliza a faixa de pedestre etc. Por que você não faria essa mesma gestão com suas as operações?

---

* Saiba mais no Portal do Trader, disponível em https://portaldotrader.com.br/blog/day-trade/gerenciamento-risco-day-trade/. Acesso em: 26 jul. 2022.

A gestão de risco fará muito mais do que simplesmente limitar a possível perda, porque ela faz parte do planejamento inicial do investimento e reflete o estudo que se faz do ativo, prevê até onde irá a sua exposição na operação, o preço ou região em que entrará, o máximo que o mercado poderia levar do seu capital investido (sem que o recurso faça falta significativamente) e o objetivo de ganho e estratégia que serão utilizados na operação. Por isso, você poderá perceber que não é simplesmente colocar o dinheiro num ativo "promissor" e aguardar até o fim do dia para contar lucros. Isso é mais complexo do que possa parecer, sem que seja algo confuso ou mesmo distante de investidores iniciantes e inexperientes – desde que façam a coisa da maneira certa, com as pessoas certas.

Pois é, simples, mas não fácil!

O *day trade* é tão lucrativo que até mesmo grandes tesourarias utilizam essa modalidade operacional para maximizar os seus lucros. Então, como alguns desinformados vivem dizendo, "é algo apenas para as empresas e pessoas jurídicas". Não! Está errado! Pessoas físicas podem realizar as operações de *day trade*, quer seja por conta própria ou por uma mesa proprietária.*

Obviamente, dependendo da situação de cada investidor, é aconselhável que se opere por intermédio de uma mesa, onde o

*. Como esclarece Caio Sasaki, uma das maiores referências no mundo trader no país, "mesa proprietária é uma empresa que disponibiliza seu capital para terceiros operarem. Dessa maneira, um trader pode começar a operar sem utilizar seu próprio dinheiro, em nome de uma instituição. Entenda como elas funcionam e se vale a pena trabalhar em uma".

dinheiro utilizado não será o seu, ou seja, é uma modalidade que, por si só, diminui bastante a ansiedade e o medo de perder, e deixa o investidor mais tranquilo para observar as oportunidades do dia com mais racionalidade e a cabeça mais tranquila.

A Carol Paiffer, *trader* há quase duas décadas e CEO da maior mesa de *traders* da América Latina, garante que o *day trade* é lucrativo sim, e que o investidor, mesmo o pequeno investidor, pode ter uma renda extra por meio dessas operações, chegando até mesmo a transformar isso em sua fonte principal de renda.

15

DE ESTAGIÁRIO A MILIONÁRIO NA BOLSA DE VALORES

Há quem diga que se tornar um milionário em dez anos de trabalho, por meio de seus próprios esforços, é algo quase impossível de acontecer. Mas há quem retire o "quase" dessa frase ao saber que isso foi feito dos 19 aos 29 anos de idade, e que o começo da jornada desse novo milionário foi no cargo de estagiário. Sim, isso aconteceu e o nome dele é Joaquim Paiffer, que, com sua experiência, mostrou que nada é impossível quando se tem determinação, foco e perseverança. De novo esse conjunto de habilidades está aí para impulsionar a carreira e a vida de quem estiver disposto a pagar o preço da obstinação, uma obstinação saudável, evidentemente, e que conduz as pessoas ao sucesso e a serem bem-sucedidas.

O hoje dono da Atom, ao lado da irmã Carolina, saiu do anonimato e, antes de completar os 30 anos de idade, conseguiu se tornar gestor de uma empresa com R$ 200 milhões em ativos sob sua gestão. E o mais bacana é que o Quim, como o chamamos carinhosamente, fez tudo isso usando técnicas de *trade* – e abusando da ousadia, claro.

Nós separamos uma parte fundamental do conhecimento reunido pelo Quim para disponibilizar a você neste livro. O que o conteúdo a seguir traz para você está contido nas doze cartas que Joaquim Paiffer escreveu para um jovem *trader*. Esse conteúdo indispensável foi transformado em uma série de doze episódios transmitidos em forma de *lives*. Para esta edição, eu pedi que fossem transcritos e condensei esse conteúdo, como forma de preservar essa riqueza, orientar e inspirar os aspirantes à mesma profissão, dando as dicas daquele que saiu do modesto posto de estagiário para se tornar um investidor milionário na Bolsa de Valores.

Prezado Jovem Trader, eu escrevi estas cartas pensando em conselhos que eu gostaria de ter recebido para simplificar a minha jornada no mercado financeiro. Após mais de 16 anos atuando nesse mercado, com alta performance e muita competitividade, eu me vejo na obrigação de retribuir um pouco de tudo o que pude conquistar. Os conselhos que dou estão baseados na minha experiência e eles me ajudaram a conquistar resultados realmente formidáveis e que continuam atuais com os métodos que foram aprovados ao longo do tempo.

Espero que a forma como eu organizei esse conteúdo possa ajudá-lo a se desenvolver de maneira rápida, simples e com um grande upside, para que você possa desfrutar de todo esse conhecimento.

Um forte abraço.

AUTOCONHECIMENTO

Uma coisa é certa: autoconhecimento é bom e fundamental para quem quer se destacar em qualquer área. Porque aquele que não se conhece, não pode conhecer os seus limites, e quem não conhece os seus desafios, dificilmente conseguirá ser competitivo no mercado financeiro. O mercado financeiro exige que o profissional ou investidor seja competitivo e que seja uma pessoa apaixonada por desafios. Essa pessoa precisa querer desafiar e romper as barreiras do sistema. É a velha máxima que já citei anteriormente: por não saber que era impossível, eu fui lá e fiz! Isso vale para o mercado financeiro, caro leitor!

Vimos como há crenças limitantes e ao mesmo tempo, para que se tenha êxito no mercado financeiro, é preciso romper as limitações que o mercado e a tradição impõem, e para fazer isso com sucesso, você precisará de autoconhecimento. De certo modo, o autoconhecimento dá a quem o tem a ousadia de quando éramos crianças, quando tínhamos certas atitudes, meio impetuosas, do tipo "deu na sua telha, fui lá e fiz" – mas isso tudo é feito amparado por informação, experiência e a tal gestão de riscos, da qual falamos anteriormente. Não é um salto no escuro, às cegas, mas um salto consciente, amparado por números, por dados, por conselhos de quem está acostumado a entregar resultados invejáveis. O mercado financeiro, portanto, é um ambiente no qual as pessoas precisam se conhecer para estarem preparadas para sair da zona de conforto.

O autoconhecimento para transitar eficientemente no mercado financeiro é necessário porque não existe maneira de você crescer nele sem sentir dor, sem sentir as dificuldades de que está em um ambiente que não se pode controlar, no qual se é desafiado todos os dias das maneiras mais diferentes possíveis. Quem não se conhece, não consegue se sustentar num ambiente assim.

PENSAMENTO EM SEGUNDO NÍVEL

O pensamento em segundo nível é o que completa o aspecto anterior do autoconhecimento, do rompimento das barreiras e das crenças limitantes, para que se possa aproveitar todo o *upside** que surgir.

O pensamento em segundo nível acontece quando questionamos as coisas como são feitas e procuramos fundamentação segura para as coisas que são feitas, verificando se o modo como é feito ainda é a melhor maneira em nossa sociedade 5.0, na era do conhecimento. Esse tipo de pensamento é muito utilizado no mercado financeiro, em situações como a tomada de decisão para a compra de uma determinada ação ou lote de ações.

Imagine a situação de compra de ações da Petrobras. Elas estão subavaliadas no mercado no momento em que sobe o preço da gasolina. Um investidor desavisado pensaria ser uma boa oportu-

---

* *Upside* é o termo no mercado financeiro para se referir ao potencial de alta que um determinado ativo possui.

nidade fazer a compra dessas ações, já que a elevação do preço da gasolina tenderá a derrubar o preço das ações da Petrobras. Mas o investidor que pensar assim e não tiver o pensamento em segundo nível não saberá que o valor da Petrobras e de suas ações já precificaram antecipadamente o preço da gasolina. O fato de a Petrobras ser uma das ações mais líquidas da Bolsa não pode significar que essa informação já é altamente difundida e o mercado eficiente já precificou isso, fazendo com que o *upside* dessas ações, o seu potencial de valorização, se mantenha baixo.

O pensamento em segundo nível é muito importante para quem está começando dentro do mercado financeiro. Se você fizer as perguntas certas, se fundamentar do jeito correto as questões e pensar que precisa dar um passo além, isso ajudará você a obter resultados realmente muito diferentes nesse mercado financeiro e na sua vida. O pensamento em segundo nível pode ser aplicado no seu emprego, no seu negócio e em outras áreas. Com isso você terá um desenvolvimento ainda maior como pessoa.

ENTENDA A EFICIÊNCIA DO MERCADO FINANCEIRO

Algumas pessoas imaginam que sem o autoconhecimento, sem entender o pensamento de segundo nível, em que se questiona toda informação e dado recebido, que é possível em milagres de lucratividade e liquidez. Imaginam que esse mercado é altamente eficiente. Mas às vezes surgem algumas aberrações ou algumas grandes oportunidades, por assim dizer, como surgem grandes oportunidades de se perder bastante dinheiro acreditando em uma informação que foi dada e que você não questionou criticamente.

Um dos exemplos mais importantes e emblemáticos, quando se trata da eficiência e da precificação correta de mercado, é o caso das empresas de Eike Batista. A OGX chegou a ter um valor de mercado próximo ao da Petrobras, mesmo sem ter produzido um único barril de petróleo!

Na ocasião, muitos investidores acreditavam na promessa de que a companhia tinha campos testados e tinha validado algumas potenciais reservas, podendo se tornar "a nova Petrobras". Evidentemente, suas ações decolaram! Quando nada disso se mostrou realidade, as ações da OGX caíram de R$ 26 para R$ 1.

Como fugir de uma cilada dessa? Ou como acreditar que o mercado é altamente eficiente, uma vez que ele mostrou uma precificação feita em função de uma perspectiva completamente errada de uma companhia que rapidamente se desvalorizou?

Na mesma linha, só que em sentido inverso, é o caso do Magazine Luiza. Em 2015, o país vivia uma das suas maiores crises políticas. Em função dessa crise, as perspectivas para as empresas de varejo e a economia como um todo eram ruins; lembre-se de que foi o ano do *impeachment*. Em 2012 ou 2013 o Magazine Luiza realizava a sua transição para o digital, visando se tornar algo como uma Amazon tupiniquim, e para isso investiram muito em tecnologia. Suas vendas *on-line* dispararam.

O Magazine Luiza tinha feito o seu IPO anos antes e suas ações desvalorizaram, saindo de R$ 15 para pouco menos de R$ 1 por ação. Mas a entrada no digital produziu o resultado inverso. Quem não praticou o pensamento em segundo nível e quem acreditou que aquele preço era o preço mais justo em função da situação que o país atravessava, sem levar em consideração aspectos internos daquela companhia, deixou de obter uma valorização gigante a partir de então.

O que aconteceu em seguida é que aquelas ações saíram da casa de R$ 1, chegando a mais de R$ 450 por valores ajustados, em 2018: uma mega valorização de quase cinquenta vezes o seu investimento em pouco mais de três anos! Fazendo uma conta simples, quem investiu R$ 1 mil receberia quase R$ 450 mil com a valorização das ações da companhia.

Essas são razões suficientemente convincentes para podermos afirmar que o mercado financeiro, obviamente, não é eficiente. Como diz o megainvestidor Warren Buffett, o mercado financeiro é um maníaco depressivo, onde se pode encontrar situações em que as empresas não estarão valendo nada ou em que as companhias estarão valendo muito acima do seu valor intrínseco. Eu diria que o mercado financeiro é bipolar.

O que nos resta de aprendizado sobre essas situações é que a eficiência, na verdade, é a ineficiência financeira que irá gerar oportunidades. A eficiência está, basicamente, em se compreender que, em vez de preços justos, haverá oportunidades e liquidez para que se possa tomar decisões, sempre levando em conta um contexto de preços que podem variar tão rapidamente quanto muda o tempo na cidade de São Paulo.

VALOR

Um aspecto que você precisa identificar sempre que for negociar um ativo, seja uma ação, seja um derivativo de dólar ou de índice ou juros, é o valor, ou seja, o intangível. O valor mostra o quanto aquele ativo pode gerar de fluxo de caixa ou o quanto a sua movimentação pode gerar de fluxo de caixa. Só assim você selecionará bons ativos.

Para isso, é preciso considerar o contexto do valor. Se uma companhia tem um produto que é realmente difícil de ter recolocação no mercado, ou se ela tem uma barreira de mercado, ou se tem mercado altamente crescente, ou se a companhia tem vantagem competitiva, se ela tem uma dificuldade de replicação do seu negócio, se já investiu muito para pavimentar e colocar os trilhos, ou se tem uma nova tecnologia que demorará anos até que seja copiada e ela irá se beneficiar disso por muito tempo... esses contextos irão afetar diretamente o que chamamos de valor (não o preço do ativo).

O valor é quando há uma vantagem competitiva no ativo negociado. Entender isso ajuda quando esse ativo está com um valor muito alto, ou seja, as expectativas e perspectivas já estão bem precificadas, ou quando os ativos estão com perspectivas baixas, subavaliadas, o que pode gerar uma oportunidade.

Quando se pretende fazer um *day trade* em determinado ativo, comprando ou vendendo, isso ajuda a entender se *naquele momento* você tem que ficar inclinado a comprar aquela ação ou se você tem que focar na venda, apostando na desvalorização.

Entender o valor intangível, as barreiras de entrada e a precificação no pensamento de segundo nível ajuda a perceber as oportunidades boas e as ruins. Quando consideramos o dólar ou falamos de índices, essas perspectivas se traduzem na relação macroeconômica, isto é, no crescimento das principais empresas que compõem aquele índice ou vantagem que aquelas empresas possuem sobre outras e como elas podem se desenvolver com uma economia favorável ou, no caso do dólar, o que está acontecendo com as empresas exportadoras ou com a economia do país, de maneira geral, e com os gastos públicos. Tudo isso influencia na movimentação do dólar, na sua precificação, para que você entenda o contexto e busque o entendimento dessa eficiência.

Quanto mais clara a questão do valor fica, melhores decisões você poderá tomar.

VALOR E PREÇO

Muitas vezes o preço divulgado (em tela) leva à avaliação de uma ação, se está cara ou se está barata, considerando se o preço do dólar está caro ou muito barato, em função da cotação. *A cotação,* que é o valor que vemos em tela, não significa o valor de mercado, o valor intrínseco, seja uma questão de contexto macroeconômico.

Tome por exemplo as ações do Magazine Luiza, que na cotação em tela, depois de sair de R$ 1 em 2015, atingiu os R$ 10. Muita gente começou a achar que ela estava cara e começou a fazer um *short*, que é a aposta na queda das ações e entraram no "vendido", apostando na desvalorização, apostando que as ações iriam cair.

Mas aconteceu que as ações continuaram subindo e subindo em valores ajustados, chegando a mais de R$ 450. Ou seja, quem apostou na queda perdeu uma grande valorização por olhar a cotação de tela e não entender que o valor de mercado, ou seja, o valor intrínseco da companhia, ainda estava muito barato, apesar da valorização da sua cotação.

Às vezes isso acontece com o dólar. As pessoas vão operar o dólar e o veem subindo acima de 100 pontos, a 150 pontos em um dia, e acreditam que ele já se valorizou muito. E mesmo assim ele continua subindo e subindo. Muitas vezes isso acontece em função de aspectos macroeconômicos, políticos e de informações que alteram o preço daquele ativo.

Então, preço e valor são completamente diferentes. Tenha claro em sua mente que a cotação em tela, o preço divulgado, não representa o valor de determinada companhia. O preço é o que se paga por, e o valor é o potencial de valorização (ou desvalorização) de uma companhia ou ativo.

Entendendo o contexto de valor, analise o nível de preço ou cotação de tela, pois isso representará as reais expectativas de determinado ativo que foram cumpridas, para saber se está caro ou se está barato. Não se engane, tome cuidado, principalmente quando montar as suas análises, para não fazer confusão entre esses dois aspectos de um ativo ou empresa.

GERENCIAMENTO DE RISCO

Para se dar bem no mercado financeiro, é preciso entender o gerenciamento de risco, como já vimos em capítulo anterior (aqui, esse ponto comporá este sumário sobre o mercado financeiro, mas acrescido de informações que não coloquei anteriormente). Não se pode ter nenhuma dúvida de que o gerenciamento de riscos é muito importante para que se tenha bons resultados reais.

Gerenciamento de risco não é simplesmente colocar uma ordem de *stop gain* e uma ordem de *stop loss*. O "*stop gain* ajuda a vender um ativo quando o valor atingir o patamar que você esperava, evitando que uma possível desvalorização prejudique seus lucros. Apesar de parecer meio estranho, o fato de limitar seus ganhos faz muito sentido. Afinal, um ativo não vai apresentar valorização para sempre, de modo que você precisa aproveitar o momento e colocar o lucro no bolso antes que o cenário positivo acabe". Já "o *stop loss* é uma ordem de venda programada para ser disparada automaticamente, caso o valor do ativo atinja o percentual de perda determinado pelo investidor".*

O gerenciamento de risco vai muito além do gerenciamento da estratégia. Ele vai diante do gerenciamento do capital, da rentabilidade do capital, do controle de alavancagem. A maior parte das perdas no mercado financeiro e dos investidores acontece quando trabalham extremamente alavancados, ou seja, trabalham em uma posição que pode representar uma perda significativa e permanente do capital deles.

Por exemplo, quando se começa um investimento com R$ 100, alavancando até cem minicontratos, dez minicontratos, vinte minicontratos para se começar as operações, por vezes não se tem noção do *notional*** que está operando.

Quando se opera o dólar, um minicontrato representa US$ 10.000, ou seja, cerca de R$ 50 mil. Com isso, se você só tem R$ 100, R$ 200 ou R$ 300 na corretora, uma perda de 0,5% representará que se terá perdido tudo o que tem e tudo o que investiu. O gerenciamento de risco deve ter um processo, e esse processo começará na gestão da alavancagem.

A gestão de alavancagem faz entender qual o tamanho de contratos se pode ter operando aquela quantia de dinheiro que dei-

* Disponível em: https://blog.toroinvestimentos.com.br/trading/stop-loss-stop-gain-o-que-e. Acesso em: jul. 2022.

** O valor nocional (em inglês, *notional value*) é o valor de face sobre o qual o cálculo dos pagamentos de um instrumento financeiro é determinado. Ele indica quanto dinheiro é controlado pela posição de um determinado instrumento financeiro. Disponível em: https://maisretorno.com/portal/termos/v/valor-nocional. Acesso em: 27 jul. 2022.

xou em margem. Por exemplo, digamos que você tenha R$ 1.000 guardados e esse seja todo o dinheiro que você tem da sua vida. Se for para o mercado de *day trade*, você receberá 10% desse capital, ou seja, R$ 100, depositará na corretora e provavelmente negociará contratos futuros ou ações alavancadas, respeitando um gerenciamento e aceitando ter ganhos pequenos.

Por quê? Porque você só tem R$ 100. Então, se você tem R$ 100 e tem um ganho de R$ 50, você ganhou 50% do seu patrimônio. Há quem queira ganhar R$ 1.000 ou R$ 2.000 ou mais com os R$ 100. Isso faz com que se tenha grandes prejuízos. Por isso, todas as vezes que você for iniciar seus investimentos, pense assim: você tem R$ 1.000 guardados, 10%, em média, é a rentabilidade que terá na renda fixa ou até mesmo a média anual que poderá ter em uma carteira de ações; você investirá R$ 900 em algo seguro e com os R$ 100 da diferença iniciará o seu investimento na Bolsa de Valores. Trabalhe com essa margem de 10% do seu patrimônio para investir na Bolsa.

Isso poderá dar a você uma renda extra, além de ter a renda vindo dos seus investimentos mais seguros, e, com isso, terá um crescimento mais rápido do patrimônio. Isso mostra que o gerenciamento é muito importante, porque ele está envolvido com planejamento. Gerenciamento e planejamento andam juntos. O gerenciamento é importante para não quebrar e não perder todo seu o seu dinheiro. É errado acreditar que "é normal você quebrar" no mercado financeiro, mas isso não é normal! Eu tenho dezesseis anos de mercado financeiro e nunca quebrei. Isso significa ter responsabilidade, significa ter conhecimento, significa se preocupar com as pessoas que se preocupam com você. Então, quebrar no mercado financeiro ou perder dinheiro de forma consistente no mercado financeiro não tem nada de bonito, não.

MOMENTO CÍCLICO

Outro tema importante de se entender para investir no *day trade* é o momento cíclico de mercado. Todos nós temos altos e baixos. Às vezes estamos mais felizes ou numa fase mais triste, ou estamos ganhando bastante dinheiro ou ganhando menos dinheiro. Com as empresas isso também é assim. Elas têm momentos cíclicos nos quais podem estar bombando e momentos em que estão apenas sobrevivendo.

No mercado financeiro isso também acontece. As ações passam por momentos de alta e momentos de baixa, e para entender esse ciclo, imagine um pêndulo. O pêndulo transita de um extremo a outro, e é o que acontece com os ciclos econômicos, que podem ir do bom ao ruim e vice-versa. Os mercados, as moedas, os índices futuros, os derivativos vão ter o mesmo comportamento. Então, tenha em mente que o mercado se move por ciclos e é preciso fazer a análise interligando os pontos indicados até aqui para se compor um quadro realista.

O pêndulo pode ajudar a vender quando está tudo bem, quando está tudo em uma euforia, porque você sabe que ele não vai ter muito mais espaço para continuar subindo ou comprar quando está naquele momento altamente desacreditado, no momento de alta depressão no mercado. As oportunidades também são cíclicas.

Então, aproveite esse entendimento e conecte esses pontos ensinados até aqui para poder aproveitar estas e muitas das outras oportunidades que surgirão. O mais importante é entender o contexto cíclico, entender o pêndulo, para tomar a decisão da melhor forma no melhor momento e aproveitar as melhores valorizações e os momentos de desvalorização, o momento de queda e os momentos que virão de dificuldades futuras, para que lucre no mercado financeiro, seja montando posição, seja fazendo *day trade*.

ESTRATÉGIA

Depois que você entendeu o seu autoconhecimento, entendeu que o mercado é um desafio diário e que vai tirar você da zona de conforto, entendeu que precisará evoluir todos os dias com conhecimento, aprendeu sobre o pensamento de segundo nível, a questionar notícias ou olhar por um outro viés, a fazer as perguntas certas, entendeu a eficiência de mercado, o gerenciamento de risco, o contexto cíclico e a diferença entre preço e valor, você conseguirá saber o momento certo de utilizar cada uma das estratégias.

Muitos investidores observam alguns tipos de análise, como de fluxo ou técnica. Quando se faz isso no momento errado do ciclo, é possível tomar um baita prejuízo. Digamos que o preço de um ativo tenha uma alta expressiva e chegou ao seu valor justo, ou seja, agora não tem mais potencial de valorização. Você entendeu que o valor daquele ativo atingiu aquele preço, o contexto cíclico fez com que a empresa tivesse uma grande valorização dos rendimentos e, a partir daquele ponto, dificilmente ela teria maiores resultados.

Com isso, o ativo que você está analisando começou a se desvalorizar. Ele cai em um dia e cai no outro e, de repente, utilizando indicadores técnicos, você tem possibilidade de compra, e você a realiza. Alguns dias depois, o ativo começa a sofrer fortes quedas e você começa a ver o seu patrimônio desvalorizando bastante.

O que isso significa? Significa que um indicador meramente estatístico pode, no local e no contexto errado, dar falsas indicações de compra ou de venda. Como acontece com alguma frequência, depois de uma grande desvalorização, esse ativo poderia ser recuperado um pouco e o mesmo indicador apontar para venda e, aí, você perderia uma alta gigantesca por não ter entendido o contexto nem o valor, e não ter compreendido o ciclo em que está.

Então, a análise de fluxo pura e simples, tal como "o Bradesco está comprando", "o Santander está batendo, BTG também", não dará o real *upside* e a real possibilidade de aproveitar as oportunidades do mercado, se você não entender o contexto. E é aí que a sua estratégia vai dar errado.

Muitas vezes, as pessoas se assustam pelo fato de o Quim não utilizar nenhum indicador para tomar suas decisões, de não utilizar qualquer tipo de análise de fluxo para decidir, porque as suas decisões estão baseadas em contexto e preço, nada mais do que isso.

INFLUÊNCIAS NEGATIVAS NO PROCESSO DE INVESTIMENTO

Entender as influências negativas que podem afetar o seu processo de investimento faz parte do entendimento que você precisa adquirir. Seja no *trading* ou no investimento, tudo é dolorido. O processo é dolorido e os resultados não são tão imediatos. Os resultados acontecerão naturalmente, ganharão consistência, formarão uma bola de neve e farão com que você cresça mais e mais. Fazer esse processo funcionar, que é a fase da plantação, é dolorido, mas você terá a sua colheita. Porém, entenda que você será atacado frequentemente pelas influências negativas de pessoas que dirão a você que aquilo não dará certo e que o que está fazendo não o levará a lugar algum.

O que vem à minha mente quando sei de casos assim é aquele minerador que está cavando e, quando está perto do diamante, desiste e vai para casa. O diferencial das pessoas que alcançam resultados no mercado financeiro é que elas vão até o final.

É importante iniciar um processo, testá-lo, treiná-lo, validá-lo e questioná-lo para que você veja se esse é o caminho certo a seguir ou se deve abandoná-lo. É normal acontecer, durante a nossa vida, de iniciarmos determinada coisa de um modo, desenvolvê-la de outro e terminá-la de forma completamente diferente, porque no andamento nós vamos refinando o processo a todo momento.

No mercado financeiro é preciso sair da zona de conforto, afinal, esse mercado é um mar infinito de conhecimento que nunca vamos parar de aprender. É isso que o faz ser tão desafiador e revigorante.

Então entenda que todas as influências negativas tentarão deixá-lo para baixo e tentarão fazer com que você desista no meio do processo sem alcançar resultados. Aprenda isso. E você só superará isso com autoconhecimento, com um processo altamente qualificado, técnico adequado, e que veja ser escalável.*

O MOMENTO CERTO DE SER CONTRÁRIO

Em investimentos, é importante entender o momento certo de agir contrariamente. Muita gente gosta de ganhar muito dinheiro nesse mercado apostando em venda de determinado ativo que se valorizou demais. O problema desse tipo de operação é que se pode ter uma perda infinita, uma vez que um ativo pode ter valorização infinita e ganho limitado. O máximo que você pode ganhar é 100%, porque o ativo não pode ter preço negativo.

Todas as vezes que uma operação *short* é avaliada, chamamos de operação contrária ou contra determinada tendência. Não gostamos dessas operações, porque apresentam uma relação ris-

* Um processo escalável é quando você entra em uma curva de aprendizado que sabe que só evoluirá e com a qual aprenderá.

co-retorno bem ruim. O mercado financeiro pode precificar mal determinado ativo e essa precificação pode piorar ao longo do tempo. Há casos recentes de que isso pode fazer investidores terem enormes prejuízos.

Cito três casos importantes de *shorts* que deram muito errado, mesmo com ativos custando caro. O primeiro e mais famoso ficou conhecido como *Game Stop*. *Game Stop* é uma empresa americana, uma loja de *games*, que teve uma valorização expressiva, mesmo depois de a companhia estar quebrada. Suas ações saíram de US$ 1 e chegaram a mais de US$ 250. Era uma companhia quebrada que não tinha nenhum valor. Agora, imagine um investidor que entrou vendido e perdeu 250 vezes o valor que investiu!

Outro caso emblemático foi de um megafundo americano. O seu gestor apostou que as ações de determinada companhia, a *Herbalife*, teriam desvalorização gigantesca. A companhia soube da aposta contrária e a própria empresa começou a comprar suas ações. Isso fez com que as ações se valorizassem. Para não ter risco de a empresa perder dinheiro com desvalorização futura, ela resolveu fechar o seu capital e aquele fundo perdeu quase dois terços do seu valor.* Sim, a *Herbalife* foi responsável por um prejuízo bilionário em um dos maiores investidores americanos.

---

* O *short squeeze*, que é assim conhecido no mercado, é uma operação na qual quem está vendido, apostando na queda, tem que recomprar as ações por um preço muito mais alto, podendo trazer prejuízos gigantescos.

O Banco Inter teve uma valorização enorme na Bolsa brasileira e um fundo de investimento, que tinha vendido uma posição pequena, de 5% do patrimônio. Isso causou um prejuízo de quase 40% do patrimônio em função da valorização rápida que o ativo teve, devido às especulações de fechamento de capital e abertura de capital na bolsa americana.

Esses tipos de operações *contrarian* do lado *short* e são muito mais perigosas do que do lado *comprado*. Do lado comprado também é possível ser contrário, uma vez que se está apostando que aquele ativo poderá ter valorização contra uma potencial queda, como no caso do Magazine Luiza. Então, o momento de ser *contrarian* do lado comprado sempre terá um *upside* maior e um *downside* menor, que é o valor que você investiu. E quando se é o *contrarian* do lado *short* ou do lado vendido, você terá a relação inversa de risco retorno, perdas ilimitadas para ganhos limitados. É preferível ser o contrário quando o ativo apresenta um forte potencial de valorização, ou seja, ser comprado do que vendido.

ENTENDA O QUE ESTÁ OPERANDO E OPERE O QUE CONHECE

Entenda aquilo que você está operando ou opere aquilo que você conhece. Não importa o mercado em que você vai operar, aqui ou no exterior, com esse passo a passo que temos dado, com esse aprofundamento e conhecimento, você conseguirá operar qualquer ativo!

O que não poderá fazer é operar um ativo que você não conhece, um ativo do qual não entenda, que não consiga fazer as perguntas certas para testar um entendimento de segundo nível ou o ciclo em que ele esteja, ou definir a estratégia e em qual momento irá utilizá-la. Toda vez que for buscar um ativo ou ação para operar, não faça isso por dica ou porque alguém recomendou. Nenhuma "casa de *research*" ou amigo próximo dará um bom *insight* profundo que faça você ganhar muito dinheiro.

Somente você sabe os riscos potenciais que estão envolvidos e só você poderá gerenciá-los. Então, tenha o conhecimento de determinado ativo, o conhecimento na diligência, no processo que você fez, para poder gerenciar os riscos que quer correr naquele ativo, para que, ganhando ou perdendo, você assuma a responsabilidade.

O mercado financeiro é sobre assumir responsabilidades. Ninguém poderá culpar o mercado ou um amigo por prejuízos, nem uma situação política ou governamental pelos riscos que você assumiu e correu.

Então, estude profundamente cada ativo. Se recebeu uma dica, se recebeu um relatório interessante, faça o seu próprio processo e o seu planejamento, para que possa ter ganhos consistentes sem ter de culpar alguém por eventuais prejuízos.

CONECTE TODOS OS PONTOS

Finalmente, depois de percorrer essas onze estações do conhecimento que o Quim passou para nós, o mais importante agora é conectar todos os pontos aprendidos. Tudo isso que trouxemos para você com essas onze dicas superimportantes só fará diferença se você conectar todos os pontos para a construção de um processo sólido de investimentos, um processo que você possa escalar e, a partir disso, construir os seus próprios resultados.

Então, revisando, nós falamos sobre o entendimento de quem é você até momentos cíclicos de mercado, estratégias e situações reais em que se pode aplicar esses conhecimentos para melhorar o seu contexto, a sua rodagem e também ajudar a direcionar os seus estudos. Nesse último aspecto há uma lição muito importante: conectar os pontos e buscar conhecimento cada vez mais profundo.

Muita gente se pergunta se é possível ter ganhos no mercado financeiro, se é possível viver desse mercado. Os especialistas, como o Quim e a Carol, dizem que não é fácil. É um processo doloroso em que é preciso sair da zona de conforto, porque ele desafia você. Mas você é recompensado, sem dúvida! Recompensado com a sua vida de volta, com o seu tempo de volta, com o controle da sua vida de volta. E, quanto mais você se aprofunda, quanto mais estuda, quanto mais conhecimento tem, mais sorte você vai ter também.

Trabalho duro e consistente é sinônimo de sorte e de você conquistar aquilo que realmente almeja.

Então vamos fechar com chave de ouro! Para isso, conecte todos esses pontos. Veja o passo a passo que nos trouxe até esta última dica e faça a junção, construindo sua linha de raciocínio. Não é fácil ser um *trader* de alta performance ou que simplesmente faça isso por uma renda extra ou para ter uma vida mais confortável. O trabalho vai ser o mesmo. Então, é importante se atentar a todos os detalhes, conectar os pontos para que você desenvolva e tenha resultados realmente consistentes e fora de série!

Apêndice

O QUE DIZEM DO BELLINO

“Conheci o Bellino há uns quarenta e poucos anos. Nós nos conhecemos na escola, o saudoso GIMK, e começamos a fazer algumas coisas juntos, coisas de moleque. O primeiro negócio que fizemos juntos, realmente com um formato, foi uma empresa de silk-screen. Comprávamos camisetas na Rua da Alfândega e na Senhor dos Passos, no Centro do Rio, dávamos cheques de garantia, porque não tínhamos capital, e íamos estampando, em eventos, à medida que sentíamos o movimento. Depois, devolvíamos e pagávamos só o que de fato tínhamos usado.

Fizemos muitos trabalhos para todos os comitês do Diretas Já. E ganhamos um bom dinheiro com as camisetas no primeiro Grande Prêmio Brasil de Fórmula 1, quando vendemos até as camisetas do corpo, nos dias de treino e no dia da corrida.

Um dos fatores mais decisivos para o sucesso do meu relacionamento com o Bellino é o fato de ele morar em São Paulo e eu no Rio. Tínhamos contatos muito esporádicos, não tínhamos o relacionamento do dia a dia que tanto desgasta. O Bellino é um camarada muito intenso. Ele nos absorve muito, ele puxa muito a nossa energia. Ricardo tem uma capacidade incomparável de fazer gente trabalhar de graça para ele. Bellino é tão bom vendedor que você acaba metendo a cara junto com ele, você acaba assumindo as ideias dele como prioridades. Com ele, todo mundo trabalha no risco. E ele não para de ter ideias, o tempo todo.

Vender a ideia é uma parte difícil da história, mas no final também temos que corresponder às expectativas. As ideias precisam de consistência. O grande talento do Bellino é que ele encanta as pessoas no momento da venda, mas também corresponde às expectativas, ele dá continuidade às suas ideias mirabolantes. Conheço 50 Bellinos que também são encantadores no momento da venda, mas que nunca fizeram nada na prática. E o Bellino continua com a mesma empolgação nos seus projetos, mesmo depois que consegue vendê-los. Bellino realmente tem um ritmo muito acelerado de pensar, de criar, de fazer as coisas acontecerem.

Acho que, nesse sentido, uma das grandes qualidades de quem trabalha com ideias é estar sempre antenado. Precisamos ler muito, olhar para tudo e conversar com as pessoas dos mais diferentes segmentos, porque você nunca sabe de onde a próxima grande ideia pode vir."

Ricardo Samuel Goldstein

Cofundador da Bellino's Unlimited

"Em 2010, eu estava voltando de um evento em Cartagena na Colômbia e fui encontrar ele em Miami, a gente foi falar sobre uma das invenções do Bellino nesse projeto que ele estava pensando, foi lá que eu o conheci. Sempre foi um cara criativo, inventando negócios, projetos, envolvendo, conectando pessoas, essa é a característica dele. Pode ser que em alguns momentos, para você acelerar você tem que desacelerar, acho que depende do momento, da pessoa, enfim, qual é o apetite que a pessoa tem e qual é a circunstância que ela está vivendo, tem que realmente parar para analisar o seu foco para depois você acelerar na direção que você quer alcançar. Nesse processo de conexão de pessoas, é claro, você estar conectado à pessoa certa pode fazer total diferença na rapidez com a qual você vai fazer seu negócio, ou seja, uma conexão pode significar você comprar tempo, então, existem pessoas que têm o dom, que têm essa capacidade de conectar pessoas, o Bellino é um caso desse, ele conhece pessoas, tem uma inteligência social muito grande e tem essa capacidade e perspicácia de conectar pessoas. Para quem é conectado, pode representar uma compra de tempo, às vezes em uma única conexão você pode economizar de 5 a 10 anos da sua vida e acelerar as coisas, então, você percebe que a aceleração temporal não está só relacionada a fazer as coisas com velocidade, mas, às vezes, a conexão certa te dá essa aceleração."

Flávio Augusto

Fundador e CEO do Grupo Wiser Educação

"Ele é um acelerador de pessoas, ele não fala que é um motivador, ele não é um artista de rock, eu também não sou, eu também não sou um motivador, aquilo que a gente aprendeu eu aprendi fazendo, aprendi com a minha história, e o Ricardo tem muito disso, tem muito de pagar e falar:

'Galera, olha só, o que eu vou passar não é só aquilo que eu acredito, é o que eu acredito e é aquilo que eu fiz.' Então esse é o grande o exemplo, pessoas que realmente têm uma grande visão, porque para mim um homem e uma mulher têm que ter uma grande visão, você precisa ter uma grande visão. Se você não consegue imaginar mesmo que mentalmente algo muito grande, você irá levantar da cama para pagar um preço enorme, por quê? O sucesso vai requerer um preço enorme das pessoas, e o Ricardo tem isso, Ricardo é esse cara que teve uma grande visão lá atrás, de trazer uma grande agência quando ninguém falava sobre isso, e não sabia como, mas ele simplesmente foi lá e fez. Se isso tem a cara da Hinode? Isso é Hinode! A Hinode é exatamente isso, uma grande visão, que a gente vai lá como? A gente não sabe, mas a gente levanta todo dia, a gente acredita, vai lá e faz."

Sandro Rodrigues
Fundador do Grupo HINODE

"Em 2015, eu participei de uma palestra do 'Lobo de Wall Street', falei para mais de 2.500 pessoas, e um pouco antes dessa palestra eu conheci um cara que é muito legal, e fez uma palestra anterior, o nome dele é Ricardo Bellino, ele é um especialista em Deal Making, isso é, de fazer negócios. Ele foi um dos únicos caras que eu conheço que conseguiu fazer negócio com Donald Trump, inclusive se você procurar por 'Ricardo Bellino Donald Trump 3 minutos' verá que ele conseguiu convencer o Donald Trump de uma ideia a partir de 3 minutos de conversa. Além disso, ele foi o cara que lançou a marca da Elite Model, a marca da Elite Models do Casablancas aqui no Brasil, foi responsável pela camiseta para a campanha sobre câncer de mama, enfim, o cara fez vários 'Deals' na vida e depois de estar falando no eventos, nós acabamos no conectando, e o mais legal é que eu lembro que nós saímos do evento e fomos para o camarim dos palestrantes, e em uma hora de conversa ele me ensinou mais sobre Deal Making, nesse nível em que ele está jogando, do que eu jamais saberia e que eu jamais teria condições de aprender."

Erico Rocha

CEO na Fórmula de Lançamento

DEPOIMENTO DO PRIMEIRO INVESTIDOR DO *CLUB DEAL DA BELLINO'S UNLIMITED*

"Conheço o Bellino há pouco mais de um ano e resumo nossa relação em duas palavras: genuinidade e intensidade.

Desde o primeiro contato, me identifico muito com o Ricardo, pelo seu otimismo, criatividade, energia, praticidade e pelo projeto legado da 'Escola da Vida'. Projeto este que, quando ouvi pela primeira vez, já pulei pra dentro, sem muito me preocupar com prazos, cláusulas de contrato ou retornos financeiros.

Eu investi no propósito e na pessoa do Bellino, que hoje, acima da relação empresarial que temos, é um grande 'amigo de infância'. Fico muito feliz em ver esse sonho sendo tangibilizado em projetos que vão além da 'Escola da Vida' e que carregam na sua essência os mesmos valores e visão que nos uniram lá atrás.

Esse *Valuation* de BRL 78 milhões ainda está barato por todo valor e impacto que serão gerados!"

Paulo Henrique Barbosa

CEO Resid

Posfácio

A leitura dos livros do Bellino provoca sempre um questionamento positivo sobre o desafio de vencer nossas crenças arraigadas.

Acreditamos nas histórias absurdas que nos contaram, de que temos uma série de limitações, de que não temos habilidades, não conhecemos as pessoas certas, nos falta a inteligência de quem tem sucesso, estudamos nas escolas erradas, casamos mal e por aí vai.

Os textos que passamos nesta obra nos abrem os olhos para o fato de que todas essas histórias são simplesmente isso, histórias, e nos influenciam negativamente, primeiro porque nos são contadas por pessoas em que confiamos e acreditamos querer nosso bem, o que nos torna ainda mais susceptíveis, e especialmente porque é mais fácil, preguiçosamente, acreditar que nosso destino está traçado. Não acreditar significa ter de se esforçar, e é nossa natureza escolher o caminho mais fácil.

A Cabala nos ensina que os caminhos negativos, que não agregam nem a nós nem ao mundo, são os mais fáceis e, quando não são gratuitos, são os mais "baratos". Baratos não só no preço, mas na facilidade de acesso, na falta de barreiras de entrada.

Trazendo essa visão para a modernidade, esses caminhos negativos são as distrações fantasiadas de entretenimento, as redes sociais, os videogames, as celebridades vazias embriagando e desperdiçando a vida da nossa juventude, as drogas, enfim, os vícios e prazeres de curtíssimo prazo atuais que conhecemos bem e que dizemos a nós mesmos que fazem parte da nossa evolução, nos convencendo de que não nos fazem mal.

Já os caminhos positivos dão trabalho e custam caro. Superar crenças negativas, estudar, trabalhar, fazer o bem, fazer a coisa certa, correr riscos, tudo isso exige esforço, abnegação e sacrifícios e nem sempre o resultado é imediato, mas ele é duradouro, produzindo sucesso e efeitos positivos para o mundo.

Espero que a leitura tenha sido prazerosa e que tenha ajudado você a desacreditar nas histórias que lhe impedem de crescer e que você possa, a partir daqui, se tornar a sua própria marca milionária.

Ricardo Samuel Goldstein

Cofundador da Bellino's Unlimited e Diretor de Relações com os meus Investidores, desde 1985

Workbook

Criamos este *workbook* para você que está em qualquer fase da carreira, em qualquer área de atuação, como: empresários, profissionais liberais, palestrantes, *freelancers*, educadores, autoridades e especialistas, ou seja, a construção e fortalecimento da marca pessoal é para TODOS!

Precisamos deixar claro para você que este *workbook* não é um curso nem irá resolver todas as suas necessidades estratégicas de Marca Pessoal, isso você conseguirá passando por um processo mais profundo de *Personal Branding,* mas aqui compartilhamos *insights,* informações e alguns exercícios que o ajudarão a iniciar seu processo de construção e realinhamento de sua marca pessoal.

Aproveite o conteúdo!!!

Falar de marca pessoal é falar de valores, objetivos, habilidades, diferenciais, experiências e paixões, isso tudo é a essência de quem você é. Quando tudo isso é evidenciado, permite-se que seja feito um posicionamento claro de quem se é, o que se faz, para quem se faz e por que é feito.

Isso faz com que a percepção dos outros em relação à marca pessoal seja ampliada, tornando-a mais forte diante da concorrência e mostrando que ela é única no mercado ou no nicho em que atua.

Antes de entrarmos nos 7 elementos, entenda um pouco mais da diferença entre *Personal Brand, Personal Branding* e Marketing Pessoal.

PERSONAL BRAND E *PERSONAL BRANDING* NÃO SÃO A MESMA COISA!

Personal Brand ou Marca Pessoal

Se colocar num tradutor as expressões *Personal Brand* e *Personal Branding*, você terá a mesma tradução: MARCA PESSOAL, mas existe diferença entre elas e vou explicar.

Marca pessoal é a forma que se é visto pelas pessoas, está diretamente relacionada à essência de cada um, o que os torna únicos, bem como aos valores e crenças. É a combinação de habilidades, personalidade e experiência.

Não dá para se fazer o marketing pessoal de alguém que não se conhece, precisa haver um grande trabalho de autoconhecimento para se obter a real consciência de quem se é.

Antes da internet, para que houvesse maior exposição das marcas pessoais em qualquer âmbito, contava-se apenas com cartões de visita e, talvez, um folder para que se fosse lembrado, mas, nesse mundo com redes sociais extremamente ativas, cada ação pode tornar a pessoa menos anônima.

Pode-se usar a marca pessoal para demonstrar conhecimento e habilidades sobre as áreas de especialização que possua e se conectar ao público de interesse.

- » Então aqui ficam nossas primeiras perguntas:
- » Como as pessoas percebem você?
- » Elas conectam você e seus valores?

Personal Branding

Personal Branding é um modelo de gestão consciente e estratégico que impacta tanto a vida pessoal quanto a profissional, um processo contínuo de autoconhecimento e manutenção da reputação, ou seja, é a forma como se posiciona e gere a imagem perante o público, a fim de que o conheçam.

Essa gestão, feita e aplicada corretamente, irá resultar em uma maior confiança, afinal ninguém compra o que não conhece; com isso, aparecerão novas oportunidades, pois houve maior visibilidade, e esta trará um destaque para a marca pessoal, o que a distancia da concorrência.

Sendo bem objetivo, *Personal Branding* serve para criar reputação, credibilidade e autoridade de um nome profissional.

AGORA PENSE E EXERCITE...

1. Quem é você?

A maior dificuldade na hora de se construir ou realinhar uma marca pessoal é conseguir expressar, ou melhor, responder quem somos.

De início, ao pensar nisso, como já vimos em vários casos, surge o seguinte pensamento: "o que será que eles estão pedindo? Querem saber do EU indivíduo ou do EU profissional?".

Num primeiro momento, virão apenas coisas como nome, idade, profissão, empresa, mas exercite e vá mais fundo, pense que existem mais coisas além de idade, gênero e profissão.

Existem informações aí dentro que você precisa trazer para sua marca...

Então, QUEM É VOCÊ?

Utilize as próximas linhas para descrever essa marca pessoal milionária.

2. Palavras que te definem...

Peça para que pessoas do seu convívio – amigos, parentes, clientes, fornecedores, chefes, colaboradores etc. – te encaminhem a primeira palavra que vem à mente deles quando falam o seu nome ou quando lembram de você. Logicamente, avise que não é uma brincadeira e que são necessárias palavras positivas.

Obtenha, no mínimo, 30 palavras e analise quais são os atributos que mais aparecem.

3. Quais são suas maiores forças?

Os pontos fortes de uma pessoa são aqueles que destacam o caráter, as qualidades positivas, os recursos, as habilidades e as capacidades utilizadas diariamente, e o autoconhecimento é a base para identificá-los. Saber quais são esses pontos irá ajudar no desenvolvimento do seu potencial e, principalmente, nas escolhas em sua carreira.

Não se compare com outros profissionais, olhe para si mesmo e veja o que VOCÊ considera como um ponto forte. A comparação é o pior mal para a construção e o fortalecimento de uma marca pessoal.

Faça uma lista com seus pontos fortes.

4. Valores

Os valores são convicções básicas, profundamente arraigadas, que adquirimos ao longo de nossa vida, através de nossas experiências e aprendizados, e que nos fazem agir da forma que agimos. Eles irão nortear nossas escolhas, atitudes e comportamentos, seja em relação a nós mesmos ou em relação aos outros, e conduzir nossas decisões.

Valores universais

» Amizade;
» Confiança;
» Justiça;
» Liberdade;
» Bondade;
» Honra;
» Fraternidade;
» Honestidade;
» Respeito;
» Justiça;
» Liberdade de crença;
» Responsabilidade;
» Honestidade;
» Veracidade;
» Lealdade;
» Individualidade;
» Heroísmo;
» Independência.

Faça uma lista de seus valores. Eles devem reger todo os atos de sua marca pessoal, tanto *online* quanto *offline*.

5. *Checklist* para iniciar a gestão da sua marca pessoal.

» Registre sua marca pessoal

Ter posse do registro de sua marca no Instituto Nacional da Propriedade Industrial (INPI) é um passo importante para o valor da sua marca, pois permitirá que você a explore com todo o respaldo legal. Você pode fazer esse registo por contra própria, acessando o site https://www.gov.br/inpi/pt-br/servicos/marcas, ou contratar uma empresa especializada em registro de marcas.

» Registre o domínio na internet com seu nome

Este é outro ponto importante para que você trabalha bem sua marca pessoal e possa ser encontrado na internet rapidamente. Você pode efetuar a compra do seu domínio no site do Registro.br: https://registro.br/, que lhe dará o direito de registrar seu nome, como no exemplo a seguir: www.SEUNOME.com.br.

Caso você queira ou ache necessário registrar seu domínio somente com o .COM, deverá procurar empresas de registro internacionais, como esta: https://www.itmnetworks.com.br/.

» Defina as redes sociais

Sabendo exatamente qual é o objetivo dessa marca pessoal, ela precisa estar visível nas redes sociais, então é primordial que você reflita e entenda qual ou quais redes são necessárias para a sua marca (LinkedIn, Instagram, Facebook, Twitter, YouTube etc).

Crie suas contas e trabalhe de forma alinhada com sua estratégia de marca pessoal.

As pessoas têm sua tomada de decisão baseada em seus valores e crenças.

» **Fotos profissionais**

Uma marca pessoal milionária precisa de fotos de qualidade que transmitam toda a essência dessa marca, as pessoas precisam ver coerência ente o verbal e o não verbal, e a imagem é uma grande ferramenta para isso.

» **Reescreva sua Bio**

Em todas as redes, você sempre tem um espaço chamado BIO para contar um pouco sobre você. Agora é a hora de revê-las com base nas informações que você obteve aqui e que vão dar mais consistência e relevância à sua marca pessoal.

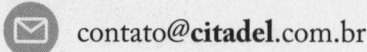